DATE DUE

ROMANCIERS

CANADIENS

1 — SŒUR SAINTE-MARIE-ÉLEUTHÈRE, c.n.d., *La Mère dans le roman canadien-français,* 1964.

2 — Marcel-A. GAGNON, *Le Ciel et l'Enfer d'Arthur Buies,* 1965.

3 — Paulette COLLET, *L'Hiver dans le roman canadien-français,* 1965.

4 — Jean MÉNARD, *Xavier Marmier et le Canada. Relations franco-canadiennes au XIXe siècle,* 1967.

5 — Roger LE MOINE, *Joseph Marmette, sa vie, son œuvre,* suivi de *À travers la vie,* 1968.

6 — Roland BOURNEUF, *Saint-Denys-Garneau et ses lectures européennes,* 1969.

7 — Jean-Paul TREMBLAY, *À la recherche de Napoléon Aubin,* 1969.

8 — Maurice LEMIRE, *Les Grands Thèmes nationalistes du roman historique canadien-français,* 1970.

9 — Axel MAUGEY, *Poésie et Société au Québec,* 1972.

10 — Robert CHARBONNEAU, *Romanciers canadiens,* 1972.

Robert Charbonneau

Romanciers canadiens

Vie
des 10
Lettres
canadiennes

LES PRESSES DE L'UNIVERSITÉ LAVAL, QUÉBEC, 1972

Cet ouvrage a été publié grâce à une subvention accordée par le Conseil canadien de recherches sur les humanités et provenant de fonds fournis par le Conseil des arts du Canada.

Dépôt légal (Québec)

3e trimestre 1972.

PRÉFACE

La vérité psychologique se trouve dans les romans... Dans le roman, c'est l'inconscient qui est à l'œuvre... Je crois que plus un romancier a de sens critique et moins il est apte à croire ce qu'il raconte.

Julien GREEN
(*Figaro littéraire*, 8 - 14 févr. 1971)

Aucun romancier canadien-français n'a davantage réfléchi sur son art que Robert Charbonneau. Au moment même où il élaborait son œuvre, il n'a cessé de s'interroger, de se poser les questions essentielles. Avec une lucidité exceptionnelle et une justesse rarement en défaut, il a posé les problèmes fondamentaux que le romancier doit résoudre. Non pas dans l'absolu et dans l'abstrait, mais dans l'humble réalité de la création personnelle.

C'est dans Connaissance du personnage *surtout qu'il s'applique à dégager les lois d'un art qui ne se réduit pas à des recettes, qui s'efforce au contraire à retrouver les sources de la vie. Ne jamais trahir la vie, tout en la soumettant à la règle de la transposition, telle demeure l'exigence supérieure.*

Bien entendu, le roman fait écho aux préoccupations des hommes sur les plans les plus variés. Comment nier, par exemple, qu'il accueille des considérations nées de la théologie, de la philosophie, de la morale, des sciences, de la politique ? Néanmoins, ce ne sont là que des éléments adventices qui doivent s'intégrer à l'action, sans jamais nuire à la vérité profonde du personnage. « C'est le personnage et, en définitive, l'homme, qui est l'objet du roman. Sans cette condition essentielle, le roman n'est qu'un jeu, un problème de l'ordre des chiffres. »

L'anecdote demeure indispensable comme soutien : la vie n'est pas immobilisme et c'est dans l'acte que s'accomplit et se définit le personnage. « Dans la vie de chacun, il y a un acte pour lequel nous sommes faits et sur lequel pivote notre destinée. » Comment le découvrir, le mettre à jour ? Telle est la pierre d'achoppement. Plus près de Mauriac que de Sartre, Charbonneau estime que « le roman tire son intérêt du mystère de l'homme ». Ce mystère, comment l'approcher, comment aspirer à le cerner, quand nous savons que seul Dieu pénètre le cœur humain et en connaît tous les détours ? Nous sommes en effet réduits aux catégories décevantes de l'apparence fallacieuse. Avec intrépidité, avec témérité peut-être, le romancier soutient qu'il n'est pas impossible de lever cette hypothèque : « Si nous ne pouvons connaître que par accident la conscience de l'homme, nous pouvons, à l'aide de ce que l'analyse et l'intuition nous découvrent, créer un être fictif dont l'âme n'ait aucun secret pour le créateur. »

Aucun secret, n'est-ce pas abusif ? En tout cas, le défi est beau et vaut d'être relevé. Nous dépassons la dimension de l'analyse psychologique, ramenée à un jeu de motivations maintenues au niveau du psychique. « C'est dans son être entier, connu par son engagement, que le romancier doit atteindre l'homme. L'analyse dissèque ; le roman seul permet de saisir la vie et de la suivre sans l'immobiliser. » S'il arrive à Charbonneau de sembler confondre vérité psychologique et vérité ontologique des personnages, c'est à cette dernière qu'il accorde la primauté, c'est en elle qu'il situe la finalité de l'œuvre romanesque. « Le romancier doit créer une âme », affirme-t-il catégoriquement. Telle est sa responsabilité redoutable — et le signe de son élection.

À son tour et à son rang, Charbonneau entend se classer parmi les catholiques qui écrivent des romans. C'est dire qu'il dénonce les pièges édifiants du moralisme. Dans une certaine mesure, l'art est tributaire de la boue dans laquelle nous pataugeons ; il est impensable avant la chute, tout comme il aura cessé d'être dans la patrie céleste, quand nous n'aurons plus besoin d'un intermédiaire infirme, à notre mesure, pour rejoindre la Beauté. Nous n'en sommes pas encore là. Aussi bien le romancier ne doit-il pas, s'il est honnête et vrai, esquiver les faiblesses de notre nature : « C'est la lutte de l'homme contre lui-même, contre son inclination au péché ou les liens et les obstacles qui s'opposent à son bonheur ou à son plaisir, ou sa lutte contre Dieu qui est à la source du drame humain. » En repoussant cette évidence, le romancier, qu'il soit chrétien ou non, fausse les rapports des hommes entre eux, en plus de se priver, sur le seul plan de la technique romanesque, d'un ressort dramatique irremplaçable.

Le personnage jouit de la liberté la plus entière ; la grâce lui est accessible, qu'il lui est loisible d'accepter ou de repousser. Aucune contrainte ne survient de l'extérieur : « La fin du roman en tant qu'œuvre d'art, c'est de créer des êtres autonomes dans un monde fictif. » Il s'ensuit que les personnages s'imposent au romancier qui ne dicte pas leurs conduites, se contentant de transcrire et de rendre plausibles les cheminements de leur comportement, conformes aux impératifs de leur personnalité propre, individuelle et jamais interchangeable. C'est toute la différence qui existe entre un être unique et un type, ce dernier pouvant être tiré à un nombre indéfini d'exemplaires dont chaque numéro ne varie qu'à la surface.

Charbonneau distingue dans le roman trois facteurs qui s'associent étroitement. Il y a d'abord la technique qu'il ne néglige nullement, tout au contraire : « Sans la technique, point d'œuvre d'art. » La conception la plus géniale demeure incohérente si elle ne parvient pas à s'incarner et elle n'y réussit que par le recours à une foule de moyens adroitement mis en œuvre. C'est ce qu'on appelle la stylisation — et qui est loin de se limiter aux seules considérations, souvent secondaires, du style, v.g. Balzac. Cette soumission à la technique n'offre rien de dégradant. Comme tout artisan, le romancier exerce un métier et doit vaincre un matériau. Pour des raisons évidentes, le phénomène est moins sensible que chez le sculpteur ou le céramiste ; il demeure néanmoins de même nature, bien que plus subtil et parfois insaisissable.

Il y a ensuite la personnalité du romancier, dont l'empreinte demeure indélébile. C'est ici que se creuse le fossé entre le talent et le don. Les écrivains brillants se renouvellent sans cesse et s'ébrouent dans toutes les directions. Ils retiennent l'attention par les grâces ailées (Giraudoux) ou les inventions rapides (Morand) de leur écriture, ils brossent de vastes fresques (Romains, Martin du Gard, Duhamel, et, plus près de nous, Hériat, Vialar, Kessel, Druon), ils recomposent avec aisance et nostalgie leurs souvenirs de jeunesse (Carco, Dorgelès), ils se meuvent dans une série d'aventures réelles ou apocryphes (Mac Orlan, Blaise Cendrars). Pour tous ceux-là, le roman n'est qu'un véhicule qui sert de moyen pour atteindre d'autres fins, honorables sans doute, que la vérité profonde de l'homme.

Le romancier véritable, lui, passe son existence à récrire le même roman. Ainsi en témoignent Dostoïevski, Mauriac, Kafka, Joyce, Julien Green, Jacques Chardonne, Bernanos. Ils se situent d'entrée de jeu dans un univers unique, le leur. Leur voix n'emprunte aucun timbre étranger, ils chantent dans leur arbre généalogique. Ce n'est pas faute d'imagination. C'est que leurs romans surgissent de leurs abîmes. Comment échapperaient-ils au monde secret de leur enfance et de leurs songes ? Ils y sont astreints comme à une loi non écrite et d'autant plus impérative qu'elle demeure informulée.

À côté de la technique et de la personnalité du romancier, et les transcendant toutes deux, il y a cet « élément de mystère que l'on peut appeler le don, le génie, la puissance créatrice ». Nous sommes aux portes du silence. Comment jamais aspirer à décrire ce qui échappe à toute description ? L'énigme demeure entière, à moins que nous consentions à reconnaître que si chacun joue avec la même balle, il y en a qui la placent mieux. C'est là analogie, et non pas explication.

Nous savons néanmoins dans quelle direction s'oriente le don. « La faculté du créateur, c'est l'intuition, non l'analyse comme on l'a cru. » Ce qui permet de nuancer cette affirmation trop répétée que Charbonneau participe à la tradition française du roman d'analyse psychologique. Il ne la renie pas, mais il y ajoute un prolongement spirituel. Il considère que le roman n'atteint à sa plénitude que s'il pourchasse l'homme, le personnage, jusque dans ses derniers retranchements. L'ambition est

*vertigineuse, mais elle confère à l'entreprise toute sa noblesse.
Envisagée sous cet angle, une œuvre à demi ratée de Kafka vaut
mieux qu'une réussite éclatante de Montherlant. Car il arrive
que l'échec soit à la grandeur de la tentative et marque la mesure d'un effort démiurgique.*

* * *

*Derrière le théoricien, ou plus exactement avant lui, il y
avait l'homme. Une personnalité attachante et difficile à déchiffrer. Charbonneau ne se livrait pas aisément. Il ne cherchait
nullement à être mystérieux, mais il ne s'abandonnait guère aux
effusions des confidences. Par pudeur, sans aucun doute, et
aussi par une sorte de dignité où s'associaient un vigoureux
orgueil et le respect de soi-même.*

*Je l'ai connu à différentes étapes de sa vie. D'abord au
collège Sainte-Marie, au temps heureux où les Jésuites dispen-
saient encore un enseignement de haute qualité. Il me précédait
de deux classes. Déjà, il impressionnait ses camarades par son
sérieux, sa rigueur intellectuelle, la distance qu'il maintenait
autour de lui. Il était passionné par tout ce qu'il découvrait, ce
qu'il aimait.*

*Ce n'est que pendant les dernières années de nos études
classiques que nous nous sommes rapprochés. Ce dut être à
l'occasion de la fondation de* la Relève, *en ce printemps où le
père Doncœur séjourna à Montréal. Fut-il celui qui eut l'idée
de cette revue ? Ce que je sais, c'est qu'il en devint très tôt
et tout naturellement l'âme dirigeante, en quelque sorte le pen-
seur-maison. Au cours de discussions interminables, sa dialectique sans faille faisait merveille. Marchant de long en large,
il ne cédait qu'en dernier ressort à une argumentation à l'en-
contre de ses opinions, de ses convictions. Sa voix percutante
dominait volontiers les débats. L'affrontement terminé, son rire
en cascade avait tôt fait de ramener la bonne humeur et la
sérénité.*

*Je retrouve Charbonneau au Canada en 1940, sous la hou-
lette du regretté Eustache Letellier de Saint-Just. Il m'y a précédé de quelques années et il exerce les fonctions d'adjoint au*

*chef d'information. Il s'y montre ce qu'il n'a jamais cessé
d'être, attentif, méticuleux, d'une exemplaire probité profession-
nelle. Je pense qu'il n'a jamais rien signé dans ce quotidien
aujourd'hui disparu. Ses écrits, il les réserve à la Relève. Très
exigeant à son égard, il lui serait impossible de se contenter des
articles hâtivement bâclés auxquels le journalisme nous astreint.
Il préfère agir comme technicien de journal, c'est-à-dire répartir
la besogne, dépouiller les dépêches, surveiller l'ordonnance et
la disposition matérielle de chaque exemplaire. Travail ardu,
souvent ingrat, et qui réclame de lui de longues heures quoti-
diennes et beaucoup d'ingéniosité.*

*C'est pendant ses années de journalisme actif que Charbon-
neau songe à prolonger l'action de la revue par la création d'une
maison d'édition. La guerre, par la rupture qu'elle impose avec
nos sources françaises de ravitaillement en livres, favorise la
mise à jour de ce projet. Charbonneau et son compagnon Claude
Hurtubise fondent les Éditions de l'Arbre, qui contribuent à
maintenir la vie de l'esprit au Canada français et qui obtiennent
un prestige dépassant, hélas, le rendement financier. C'est néanmoins une belle aventure qui aura été dans l'ensemble fructueuse.
C'est aussi, me semble-t-il, la meilleure période de Charbonneau.
Il vit dans un milieu où il s'épanouit vraiment. Le succès obtenu
par son premier roman, Ils posséderont la terre, confirme à ses
propres yeux sa vocation d'écrivain.*

*Quand les éditions doivent fermer leurs portes, il faut ten-
ter de vivre... Je me suis toujours demandé pourquoi un Charbonneau, mûri par l'expérience et grâce à elle moins intransi-
geant, n'a pas fait retour au journalisme où il eût accédé aux
premières places. Il entre plutôt à Radio-Canada, où il s'occupe
de la revision des textes. Je suis convaincu qu'il a donné à
cette tâche obscure le meilleur de lui-même. Je doute fort qu'il
ait été très heureux dans cette occupation alimentaire. Il semble
bien que l'on n'ait pas su utiliser à bon escient ses ressources.
Charbonneau se referme de plus en plus, il se fait plus rare,
il se consacre à sa famille et à son œuvre.*

*Une dernière fois, nos voies se croisent. À l'Académie
canadienne-française où, comme partout ailleurs, il m'a précédé,*

nous faisons en sorte d'être voisins de table. Il est devenu moins frondeur, moins cassant ; sa lucidité impitoyable se tempère désormais d'indulgence. Il participe activement à toutes les conversations, avec une verve entraînante. Il s'engage à fond dans toutes les questions de la vie littéraire.

Nous étions ensemble aux funérailles du chanoine Groulx. Je le revois sur le parvis de Notre-Dame. Il affichait une forme superbe. Nous avons bavardé pendant que défilaient les personnages consulaires. Puis, nous nous sommes serré la main, nous promettant de nous revoir bientôt. Ni l'un ni l'autre ne savions que c'était un adieu. Quelques semaines plus tard, j'apprendrais la nouvelle soudaine et bouleversante...

Je me flatterais beaucoup en écrivant que Robert Charbonneau a été mon ami ; il fut plutôt un compagnon de route, d'une fidélité qui ne s'est jamais démentie. Il fut un bonhomme remarquable : intelligent et sensible, grave et rieur, audacieux et timide, direct et secret. A-t-il donné toute sa mesure ? Question gratuite et vaine, qu'il est possible de poser au sujet d'à peu près tout le monde. Ce qui importe, c'est qu'il a ouvert des avenues neuves dans nos lettres et qu'il n'a jamais jeté le manche après la cognée. Cette persévérance fait honneur à son caractère.

* * *

Avant l'avènement de la télévision, un ensemble bien équilibré de cours radiodiffusés servait les fins de la culture populaire. Les entretiens de Radio-Collège réunissaient un auditoire fidèle qui se composait d'au moins autant d'adultes désireux d'élargir le champ de leurs connaissances que de jeunes d'âge scolaire. Charbonneau fut invité à occuper cette tribune et consacra ses causeries à dix-huit romanciers canadiens. Ce sont ces textes qui datent d'environ vingt ans que renferme ce volume.

Il apparaît d'une honnêteté élémentaire d'apporter ici quelques précisions. En premier lieu, l'auteur demeure prisonnier d'une formule. Chaque propos est soumis à la rigidité de l'horaire radiophonique et doit se limiter à une période fixe de quatorze minutes. On saisit sans peine les inconvénients inévi-

tables de cette camisole de force ! Ce qui est suffisant pour un écrivain de seconde classe risque d'être superficiel pour l'écrivain qui a signé plusieurs œuvres marquantes. Seule l'ingéniosité de Charbonneau lui permet de se dégager des mailles du filet et de mettre en relief l'essentiel de l'apport de chacun. Nous lui savons gré surtout de souligner fortement l'individualité irréductible de ces romanciers très différents les uns des autres. S'il eût pu la connaître, il eût fait sienne cette notation d'Alberto Moravia : « Ce n'est plus ce que l'on invente qui compte, mais le fait d'inventer n'importe quoi, pourvu que ce ne soit pas le même truc que le voisin. »

Ensuite, nous devons comprendre qu'une génération s'est écoulée depuis la rédaction de ces textes. La plupart des écrivains passés en revue vivent encore et ont eu l'occasion d'ajouter à leur œuvre, l'enrichissant ou la modifiant en quelque sorte. De plus, le critique de 1952 n'est pas forcément celui qu'il serait devenu aujourd'hui ; sans doute aurait-il modifié son éclairage à la suite de sa propre expérience. Ce qui ne signifie pas que les jugements portés ici sont désormais non avenus ; bien au contraire, il arrive le plus souvent que le commentateur a fait preuve d'une rare divination et qu'il a entrevu les voies où s'engageraient les écrivains.

Ferons-nous grief à Charbonneau d'avoir péché par bienveillance ? Rappelons-nous la destination première de ces propos qui visent à fournir un panorama à un public en général peu familier avec les lettres canadiennes. C'est donc beaucoup plus un essai d'exposition et de vulgarisation qu'une entreprise de démolition. Nous savons bien que, dans l'intimité, Charbonneau faisait preuve de moins d'indulgence... Mais il a su se plier à la loi du genre et il a eu raison de procéder avec modération, s'efforçant plus de comprendre et de faire comprendre que de blâmer et de condamner. La plume du pamphlétaire est plus brillante, elle demeure moins féconde. Dès la première page, une phrase retient notre attention, parce qu'elle éclaire une intention : les romans « intéressent tous les hommes à la seule condition que ceux-ci soient conscients de la fraternité qui les unit ».

*Il a bien vu, par exemple, le caractère didactique et iro-
nique des romans de Pierre Baillargeon, soulignant à son sujet
les problèmes de la création littéraire au Canada et de la responsabilité de la société. « Ses trois romans sont des anthologies. »
On ne saurait dire plus justement. Chez François Hertel, il
aperçoit trois catégories de personnages ; les uns sont des êtres
de mémoire, les seconds appartiennent au monde de l'intelligence, les troisièmes sont des êtres de chair et de sang. D'Yves
Thériault, il dira que « son verbe oscille sans cesse entre les
deux pôles du réalisme et de l'imaginaire ».*

*Je parlais plus haut de bienveillance et je dois nuancer cette
opinion. À l'égard de Philippe Panneton, de Gabrielle Roy, de
Roger Lemelin, Charbonneau témoigne d'une équitable sévérité.
Chez le premier, il ne découvre aucune philosophie de la vie,
aucune conception de l'homme ; ce qui me semble nettement
exagéré. Devons-nous admettre que les personnages de Mme Roy
soient dépourvus d'une vie intérieure ? Je me permets d'en
douter. Esprit frondeur et comique, Lemelin a été certes le
peintre d'un milieu, mais il lui est exceptionnellement arrivé de
dépasser l'univers de la fabrication descriptive.*

*Avant d'amorcer la rédaction de cette introduction som-
maire, j'avais eu l'intention de procéder à une analyse de l'œuvre
romanesque de Charbonneau et à cette fin je me suis accordé
le plaisir de relire tous ses livres. J'ai pu constater que, au
niveau où il s'était situé d'emblée, ils n'avaient pas vieilli. Ils
n'ont pas de rides, en ce sens que leurs qualités et leurs défauts
n'ont pas été esclaves de l'évolution de notre goût. C'est la
preuve d'une authenticité certaine qu'il soit demeuré à l'abri
des modes passagères.*

*Si je n'ai pas donné suite à mon projet initial, c'est que j'ai
appris qu'un ouvrage était déjà sous presse qui sera une biographie complète et une étude approfondie de l'œuvre. Les lecteurs
s'y reporteront sans doute avec bénéfice. Il m'a suffi de rendre
modestement témoignage à l'homme et à l'écrivain. Je ne dépose
ici qu'au tribunal de la fidélité.*

Roger DUHAMEL, m.s.r.c.,
de l'Académie canadienne-française.

Le roman est, aujourd'hui, dans les pays de culture occidentale le genre littéraire le plus fécond et le plus populaire. Cela tient sans doute à de multiples causes, mais principalement, semble-t-il, à l'état de confusion qui règne dans notre monde dominé par le complexe de guerre, confusion qui s'étend aux trois plans : économique, social et politique, et qui a sa répercussion jusque dans la conscience des individus.

Le roman, plus que le théâtre, parce que ses règles sont moins rigides ; plus que l'essai, parce qu'il n'implique pas un système de pensée bien assis et éprouvé, mais des idées incarnées qui cherchent leur confirmation dans des personnes et des expériences imaginaires ; plus que la poésie, enfin, qui ne s'adresse qu'à une minorité d'élus, répond à un besoin essentiel de l'homme moderne : comprendre, ou du moins circonscrire, dans la mesure du possible, les problèmes de civilisation.

D'autre part, le roman littéraire, c'est-à-dire le roman qui ne consiste pas uniquement à raconter une aventure, mais qui contient des personnages vivants où les hommes peuvent se reconnaître avec leurs aspirations, leurs aspirations profondes, leurs inquiétudes, leurs relations sociales, leur destinée humaine et surnaturelle est, par sa définition même, universel. Les romans peuvent, sans rien perdre de leur portée et de leur densité, être transposés d'une langue à l'autre. Ils intéressent tous les hommes à la seule condition que ceux-ci soient conscients de la fraternité qui les unit.

Le roman canadien commence à revendiquer sa place dans la littérature mondiale. Depuis quelques années, les ouvrages de nos meilleurs écrivains d'imagination sont lus, traduits, réédités à l'étranger. À Montréal, les tirages des romans ont quadruplé et dépassé les 20 000 exemplaires qui paraissaient, il n'y a pas si longtemps, le plus haut sommet auquel pouvait aspirer un romancier heureux.

Voici une série de dix-huit études sur l'œuvre de romanciers de langue française, choisis parmi les plus représentatifs de notre génération. Chacune de ces études confronte un auteur et ses personnages. C'est, en effet, sous l'angle des personnages et des problèmes qu'ils posent à la conscience du lecteur que nous avons abordé ce travail.

Qu'on ne cherche pas ici des jugements définitifs sur des auteurs, pour la plupart en pleine activité, et qui ont encore la plus grande partie de leur œuvre devant eux. Ce qu'on trouvera c'est une investigation honnête des méthodes de chacun des romanciers, des idées mères qui ont présidé à la conception de son œuvre, de la continuité qui existe entre ses livres et d'un personnage à son successeur dans le temps.

(Les textes qui suivent furent prononcés au micro de Radio-Canada, à l'émission *Nos romanciers,* une série de vingt causeries à l'horaire de Radio-Collège, au cours de la saison radiophonique 1952-1953.)

R. C.

N. D. É.

LES NOTICES BIOGRAPHIQUES PRÉSENTÉES AU DÉBUT DE CHAQUE CAUSERIE ONT ÉTÉ RÉDIGÉES AVEC LA COLLABORATION DE L'ÉQUIPE DU DICTIONNAIRE DES ŒUVRES LITTÉRAIRES DU QUÉBEC, ACTUELLEMENT EN PRÉPARATION À L'UNIVERSITÉ LAVAL.

Pierre Baillargeon

Injustement méconnu, Pierre Baillargeon est pourtant l'un des écrivains-essayistes importants des années 40-50. Il naît à Montréal en 1916. Il fait ses humanités au collège Jean-de-Brébeuf de 1929 à 1938. Il part pour Paris avant la guerre afin d'y entreprendre des études de médecine mais de violents maux de tête le forcent à renoncer à ses études. Pierre Baillargeon revient alors au pays où il occupe le poste de traducteur pour la Patrie. *Pendant cette période qui va jusqu'en 1948, il fait paraître quatre volumes et un recueil de poèmes puis fonde, en novembre 1941, la revue* Amérique française *avec Roger Rolland. Il avait collaboré auparavant à* la Relève *et à* la Nouvelle Relève. *En 1948, il repart pour la France avec sa femme, l'écrivain Jacqueline Mabit, qui lui donne quatre enfants. Jusqu'en 1960, il réside en Normandie ou à Paris, vivant de l'enseignement du latin, d'un travail de secrétariat et de sa collaboration depuis l'Europe à* la Patrie, *au* Petit Journal *et au* Devoir. *À son retour au pays, il publie encore deux volumes et envoie de nombreux articles au* Devoir. *Traducteur depuis 1961 pour le Canadian National, il est reçu à la Société royale du Canada en 1964. La mort vient le prendre inopinément en 1967.*

P IERRE BAILLARGEON, à l'instar des êtres imaginaires qu'il a créés, a eu la très haute ambition d'acclimater à notre pays les moralistes français. Il a vraiment pris cette tâche au sérieux et c'est peut-être ce qui explique le caractère à la fois didactique et ironique de ses romans.

L'auteur de *Commerce* se propose donc de traduire pour nous les moralistes français; d'imiter, plutôt que la nature, les bons auteurs. Moraliste en tout ce qu'il écrit, il s'en faut de beaucoup cependant que Baillargeon ne fasse que traduire ou imiter. Il y a d'ailleurs, on le devine, une certaine dose de paradoxe dans cet art poétique, dont la deuxième règle consiste à refuser toute nouveauté sous prétexte que le souci d'exprimer une idée nouvelle nuit à l'art de la bien dire.

Les Médisances de Claude Perrin et *Commerce* illustrent ces théories. Ces ouvrages se déroulent sur deux plans parallèles : d'une part, les réflexions, les maximes, les sentences et les bons mots; de l'autre, les difficultés du métier, le souci de la vie à gagner, les mille misères de l'écrivain dans un pays où la culture est trop souvent un luxe.

Au moment où il entreprend de rédiger ses mémoires, Perrin n'en a plus que pour un mois à vivre. Écrivain, il va employer ses derniers jours à mettre en ordre les notes qu'il a accumulées au cours de sa carrière. Sa vie, sur le plan matériel, comme sur le plan spirituel, est un échec. Il n'a presque rien publié, faute de lecteurs, et il n'a pas été compris. C'est l'occasion pour le moraliste de s'en prendre aux pouvoirs publics, qui n'aident pas les écrivains; à l'Université, qui leur décerne parfois des doctorats mais qui les ignore dans son enseignement et ne fait pas appel à leurs talents; enfin, aux éditeurs et aux critiques qui traitent les pauvres gratte-papier de haut. Cependant, Baillargeon est trop intelligent pour ne pas se rendre compte de ce que ses griefs ont de trop subjectifs, aussi les attribue-t-il à Claude Perrin et, en contrepartie, fait-il de ce personnage un inadapté qui, jusqu'à un certain point, méritait son sort.

Perrin, en effet, n'a aucun souci d'autrui. Il est prétentieux, outrecuidant dans ses rapports avec ses semblables; il méprise le genre humain. Le genre humain le lui rend bien d'ailleurs et on serait tenté de dire : c'est justice. Mais non ! Perrin est vraiment doué; il n'est rien moins que méchant au fond et il veut servir. En outre, il nous paraît suffisamment puni par les événements : il n'a pas d'amis, sa vie sentimentale est une faillite et pour comble de malheur, il est méconnu comme écrivain. N'est-ce pas là une terrible rançon pour son égoïsme et son incompréhension des autres, dont il n'est que partiellement responsable.

Le portrait de Gilberte, sa femme, est à peine esquissé dans le roman. Claude Perrin nous révèle qu'il lui a appris à écrire, au début de leur mariage, pour avoir la paix. Elle réussit, obtient la notoriété; ses livres remportant beaucoup d'argent. Tout ce qui fait défaut à Perrin. Alors, l'écrivain souffre d'être inférieur à sa femme, à son élève.

Jusqu'au dernier souffle, Perrin restera l'homme qui continue de tout attendre des autres et qui ne veut rien donner en échange. L'amour, le risque, le don de soi lui demeurent totalement inconnus. La mort de sa mère, au crochet de laquelle il a vécu longtemps, même après son mariage, occupe trois lignes dans son autobiographie : « Dans le même temps, ma mère mourut. Femme généreuse et pleine de sens. À ma grande surprise, elle me laissait une fortune[1]. » Cet éloge funèbre conclut le livre.

Mais ne soyons pas trop sévère. Rappelons-nous ici que Perrin est d'abord un moraliste et que Baillargeon écrit un roman ironique. L'esprit est partout dans ce livre, un esprit qui ne se laisse pas toujours saisir pour ce qu'il est et dont parfois les pointes se dissimulent dans les endroits où l'auteur paraît le plus sérieux.

---

[1] *Les Médisances de Claude Perrin,* p. 172.

Il faut lire les mots, les maximes, les réflexions sur la littérature, les moralités qui occupent plus de quatre-vingts pages
dans *Commerce* pour voir comment Perrin entend naturaliser
chez nous les moralistes français. On y découvre un écrivain
qui ne vit que par les livres. Rien ne l'émeut que ce qui a d'abord
ému l'un de ses auteurs; il vit au second degré, épuisant sa
substance à revivre plutôt qu'à vivre.

Les Médisances étaient le roman de l'esprit de Perrin;
Commerce nous livre sa méthode de travail et les résultats de
cette méthode. En imitant les moralistes, nous dit Baillargeon,
« Claude Perrin en a fait à son pays le don magnifique... Avant
lui, nous croyions posséder les chefs-d'œuvre; point n'était besoin de les traduire. Il nous restait à les imiter pour produire
des œuvres qui leur fussent égales. » « Je ne dirai pas, continue-
t-il, que Claude Perrin ait surpassé les moralistes français. Mais,
du moins, il ne les a pas dégradés[2]. » Et sur ce mot, tirons
l'échelle !

Comme Perrin, le personnage central de *la Neige et le Feu*
est écrivain; comme Perrin également, il est plus écrivain
qu'homme. C'est à cause de cette profession qu'il gâche sa vie.
Thérèse, sa femme, qui l'a quitté, lui écrit pour se disculper :
« Tu étais si abstrait, tu rêvais en compagnie de Racine et de
Bossuet, tes chers classiques ! De nous deux, c'est toi qui as
été infidèle le premier...[3] ».

Philippe Boureil, tel est le nom du mari de Thérèse, est en
quelque sorte un Perrin plus jeune, que la vie bafoue, que les
hommes se lancent de l'un à l'autre comme une balle avant de
le projeter contre le mur, où il s'écrase, définitivement dégonflé.
Inhabile à déceler ce qui lui arrive, il n'en est pas moins capable de souffrir, sinon dans son âme, du moins dans son amour-
propre.

Pour lui, comme pour Perrin, les autres représentent l'enfer.
Le monde existe autour de lui, tangentiel à sa vie. Il ne le touche
jamais que par un point à la fois, un point douloureux. Comme

---

[2]   *Commerce*, p. 12.
[3]   *La Neige et le Feu*, p. 157-158.

son prédécesseur également, il attend qu'on lui apporte sur un plateau l'argent, le succès, la gloire.

Boureil n'a pas choisi sa femme. « Je ne sais plus lequel des deux a fait les avances[4] », dit-il à propos de son mariage. Il ne choisit pas non plus sa maîtresse. Les femmes s'imposent à lui, alléchées sans doute par sa facilité, puis elles se lassent de sa passivité et le quittent.

Après la fuite de Thérèse, qui ouvre le livre, il s'embarque pour la France, son vrai pays. À Paris, une jeune fille l'aborde dans un parc, ayant deviné qu'il était étranger; à la seconde rencontre, elle prend l'initiative du premier baiser. Il lui dit prudemment : « Il ne faut pas brûler les étapes[5]. » Peu après, elle le presse de louer une chambre. Il proteste : « Je n'en demandais pas tant[6] ! » Comme on peut le constater, tout lui arrive. Bientôt trompé par Simone, il se jette sous les roues d'une auto. Il avait réagi moins fortement au départ de sa femme. Il survit toutefois à son accident, et Simone l'amène à la campagne récupérer ses forces.

À ce moment, Thérèse réapparaît. Ou plutôt, elle lui révèle qu'elle était enceinte lors de sa fugue, et le prie de revenir. Il accepte et prend un petit emploi; Thérèse, de son côté, reprend un amant. Et c'est la lente désintégration d'un homme sans volonté sous le mépris d'une femme tarée.

Ce qui fait le principal intérêt de ces trois romans, en dehors du style, c'est l'actualité de quelques problèmes qu'ils posent, notamment ceux de la création littéraire au Canada et de la responsabilité de la société à l'égard des écrivains et des artistes.

Il ne faudrait cependant point chercher de grandes idées dans ces livres, ni un système cohérent de pensée, mais des réflexions, presque toujours brèves, souvent justes, qui sont moins le fruit de méditations prolongées que le résultat de constata-

---

4 *La Neige et le Feu*, p. 14.
5 *Ibid.*, p. 123.
6 *Ibid.*

tions ironiques, inspirées par des lectures ou des difficultés du métier.

Quant aux personnages, ils ne sont que prétextes à réflexions et à maximes. Si Baillargeon leur a donné un second métier et une femme, c'est que le mariage et le gagne-pain font partie, à ses yeux, des servitudes de l'écrivain.

Le style de l'auteur de *Commerce* trahit la fréquentation de ses grands modèles, mais il reste cependant très personnel. C'est dans le choix que Baillargeon se montre bon écrivain. Il connaît les limites de son talent et n'en sort pas. En tout ce qu'il observe, ressent ou pense, il commence d'abord par ôter quelque chose. Ce procédé va si loin que certains chapitres ont l'apparence de résumés. Styliste, il veut non seulement que chaque page soit une réussite, mais dans la page, que chaque phrase soit parfaite. C'est beaucoup trop. « J'aurais voulu choisir avant que d'écrire, dit Perrin, comme si l'on pouvait commencer par son anthologie[7]. » Baillargeon peut, en toute justice, prendre cette phrase à son compte. Ses trois romans sont des anthologies.

[7] *Les Médisances de Claude Perrin*, p. 53.

Harry Bernard

*Né à Londres en 1898, Harry Bernard émigre au
Canada avec ses parents en 1906. Il séjourne aux
États-Unis de 1908 à 1911 et termine ses études à
Saint-Hyacinthe en 1919. C'est au* Droit d'Ottawa
*qu'il s'initie au journalisme où il est tour à tour
nouvelliste, traducteur, courriériste parlementaire
et adjoint au rédacteur en chef. En 1923, il devient
rédacteur en chef puis directeur du* Courrier de
Saint-Hyacinthe. *Il collabore à plusieurs revues,
notamment à* l'Action nationale, *dont il est le directeur en 1933-1934. À partir de 1941, il signe sous
le pseudonyme, L'Illettré, une chronique littéraire
dans* le Courrier de Saint-Hyacinthe *et dans plusieurs autres journaux. Trois fois lauréat du prix
David, en 1924, 1925 et 1930, sept fois titulaire
du prix de l'Action intellectuelle, il reçoit, en 1951,
le prix des Lecteurs du Cercle du Livre de France
pour son roman* les Jours sont longs. *Licencié ès
lettres de l'Université de Montréal en 1943, bour-
sier de la Fondation Rockfeller, la même année,
membre de la Société royale du Canada en 1944,
il est reçu docteur ès lettres en 1948. Médaille
Chauveau de la Société royale en 1959 pour l'ensemble de son œuvre, il reçoit le prix Duvernay en
1961. Passionné de la nature et de la vie au grand
air, Harry Bernard trouve sa détente dans les longues randonnées en forêt dont il nous donne une
excellente description dans* Portages et Routes d'eau
en Haute-Mauricie.

UN intervalle considérable — une vingtaine d'années — sépare *Juana, mon aimée* de *les Jours sont longs,* le dernier paru en librairie des romans de Harry Bernard. Déjà, au moment de la parution du premier de ces ouvrages, le romancier était en pleine possession de ses moyens. Son talent a mûri, son art s'est épanoui avec les années, mais il ne semble pas que rien d'essentiel soit venu s'y ajouter.

Harry Bernard a, depuis toujours, l'art si difficile de raconter une aventure humaine. Il sait éveiller l'attention du lecteur dès les premières pages d'un livre, susciter l'attente des événements sans jamais recourir à des subterfuges et donner à tous les problèmes que pose le comportement de ses créatures des solutions qui satisfont à la fois le cœur et l'esprit.

Connaissant admirablement la nature, qu'il s'applique à étudier depuis son enfance, convaincu que le romancier « doit tout savoir ou à peu près », l'auteur de *la Maison vide,* de *la Ferme des pins,* de *Dolorès* ne cède cependant jamais à la tentation d'étaler son érudition. Les pages descriptives qu'il consacre aux milieux où se passe l'action de ses romans, s'insèrent tout naturellement dans le récit. Les observations dont il nous fait part sur la vie des fermiers, des colons, des guides, des bûcherons ou des chasseurs relèvent de l'expérience de ces personnages et, à ce titre, sont indispensables à la psychologie de ceux-ci.

La Nature joue dans l'œuvre de Harry Bernard un rôle de premier plan, tantôt comme consolatrice de citadins éprouvés ou trahis, de malades qui viennent s'y refaire une sensibilité neuve, tantôt comme source d'indépendance pour les humbles qu'elle arrache à la misère et à la servitude des viles besognes pour leur donner, en échange d'un travail parfois pénible, le réconfort, la santé et la paix intérieure.

Cette nature, M. Bernard, qui a beaucoup voyagé et qui a vécu dans les coins les plus reculés du pays, ne la confine pas à un territoire, ni même à une province ; il la poursuit d'un océan à l'autre. D'autre part, ses descriptions n'ont rien des improvisations, si brillantes, si imagées qu'elles soient, d'un touriste. Non, quand il parle d'une région, c'est généralement en homme qui l'a parcourue à pied, qui s'y est arrêté une saison, qui a médité de longs jours sur les particularités du paysage.

Le goût de la nature, des grands espaces, des randonnées solitaires dans la campagne, un fusil sous le bras, ne sont pas les seuls traits que les héros de *Juana, mon aimée* et des *Jours sont longs* ont en commun. Ils ont encore — et c'est là une deuxième constante dans l'œuvre du romancier — une certaine inaptitude au bonheur qui les pousse à parler mélancoliquement de l'amour, à juger même parfois, comme Raymond Chatel, que « l'amour est une duperie [1] ». Mais les grandes peines d'amour qui paraissent le lot de la plupart des héros de Harry Bernard ne tiennent pas longtemps devant le spectacle de la nature, devant ses exigences et le pénétrant exemple de sa paix. Surtout, les travaux de la campagne empêchent l'homme de se prendre au tragique.

Juana, mon aimée raconte l'histoire d'un amour malheureux à cause d'un malentendu que les deux amoureux n'auraient pas toléré s'ils s'étaient aimés vraiment. Imagine-t-on, en effet, qu'une jeune fille rencontrant dans les solitudes de la Saskatchewan un homme qu'elle admire et aime depuis son adolescence, va, sous prétexte qu'elle a entendu naguère parler de ses fiançailles, rester indécise quant à son véritable état civil ? C'est mal connaître la nature féminine. Comment concilier la passion profonde de la jeune femme pour Raymond, leurs rencontres durant toute une saison avec la persistance d'une situation fausse que tout devait les pousser à dissiper ?

Quant à Raymond Chatel, en dépit de son manque d'initiative dans cet épisode, c'est un personnage très sympathique. Il a quarante-quatre ans au moment où il entreprend le récit de son malheureux amour pour Juana. Il est établi en Saskatchewan

---

[1] *Juana, mon aimée*, édition de Granger, 1946, p. 11 (citation libre).

et, à certains indices, on croit deviner qu'il n'est pas resté célibataire. Mais ce n'est là qu'une impression, à laquelle pourtant l'évolution des sentiments du narrateur, à l'égard de Lucienne, la fille de son hôte, et sa décision de rester dans l'Ouest semblent donner du poids.

Chatel évoque donc le souvenir d'événements qui se sont déroulés dix ans plus tôt. Le jeune homme était venu à Ronda pour une cure de repos et de grand air. Douze années passées dans les salles de rédaction de Montréal et d'Ottawa avaient miné sa santé. Un religieux missionnaire lui avait trouvé cet asile dans les Prairies.

Arrivé dans l'Ouest au moment où les moissons achevaient, il éprouva une impression étrange qu'il réussit à nous communiquer. C'était le soir. La ferme des Lebeau où il allait loger désormais, isolée de toute autre habitation, s'élevait en bordure d'un lac. « Sur tout, écrit-il, un silence cru, glacial, comme je n'en connaîtrai nulle part... Silence si étendu, si envoûtant, si inconcevable qu'il en paraissait irréel [2]. » Et le jeune journaliste, qui a vécu jusqu'ici à la ville, se sent envahi par une détresse sans nom...

Mais peu à peu, au contact de la nature, les forces lui reviennent et il se refait une sensibilité. Il s'adapte à son nouveau milieu — les personnages de Harry Bernard ont cette faculté de rapide adaptation à la vie champêtre — , il rend des services appréciés, chasse le canard et l'outarde et se fait, durant les mois inactifs de l'hiver, le précepteur bénévole des enfants Lebeau. Parmi ces enfants se trouve une adolescente de seize ans que la présence du jeune journaliste ne laisse pas indifférente. L'auteur nous la montre s'éprenant chaque jour un peu plus de l'amoureux de Juana. Elle pressent le malheur qui attend le jeune homme et s'apprête tendrement à recueillir les morceaux brisés.

Il y a de grandes analogies entre *Juana, mon aimée* et *les Jours sont longs*. Les personnages ont peu de préoccupations qui débordent le cadre du centre de civilisation où ils sont établis.

---

[2] *Juana, mon aimée*, p. 20.

Ils sont à la fois trop près de la civilisation pour que leurs instincts ou leurs passions les distinguent et les magnifient en des types à part ; et trop éloignés d'elle pour que leur vie soit vivifiée par des courants d'idées ou de sentiments qui viennent du monde. Harry Bernard d'ailleurs n'a pas cherché à faire ressortir ce qu'ils avaient en eux d'exceptionnel ou de typique. Il en a fait des hommes préoccupés par les nécessités premières : la subsistance, la défense contre l'extérieur, l'amour... C'est dans cette conception que M. Bernard se fait du roman que résident la force et la faiblesse de son dernier ouvrage.

Les romans à la première personne sont parfois les plus faciles à écrire et les plus difficiles à réussir. Certes, ils permettent au narrateur d'exprimer sa philosophie de la vie ou des préoccupations spirituelles, quand il en a, mais en revanche, ils limitent le champ d'action du romancier qui ne peut révéler directement par ce procédé que ce que le narrateur a vu et les actions auxquelles il a participé. Quoi qu'il en soit, *les Jours sont longs* ne souffrent pas trop de ce procédé.

Le héros de ce roman est un célibataire de cinquante ans, que deux expériences sentimentales malheureuses ont détourné trop tôt de la poursuite d'un bonheur pour lequel il ne se sentait point fait, et qui traîne ses jours au milieu d'une aisance inutile, regrettant le passé, mais trop profondément marqué par la vie pour recommencer.

Deux femmes l'ont aimé ; il les a tourmentées toutes les deux. La première l'a quitté pour échapper à sa méchanceté ; la seconde est morte pour échapper à sa bonté. Rolande et Adèle sont les deux faces d'un même destin.

Le narrateur évolue très peu au cours du récit. Comme il a fui la ville pour oublier Rolande, il fuira le bois pour ne plus penser à Adèle. Il n'a qu'un geste, la fuite qui, avec son goût de la solitude, donne une unité tout extérieure à sa vie.

Harry Bernard est au Canada le romancier de la nature, de la vie des bois, de la solitude rédemptrice. Son œuvre développe bien d'autres thèmes, ses personnages posent d'autres problèmes, mais dans les domaines de la forêt, comme les chasseurs de ses récits, il est vraiment sans rival.

Rex Desmarchais

Romancier, conteur, essayiste, journaliste, poète, critique littéraire, polémiste, Rex Desmarchais est un écrivain prolifique. Il est né à la Côte-des-Neiges à Montréal, en 1908, et conservera longtemps l'espoir de terminer ses jours dans la région des Deux-Montagnes, terre de ses aïeux. Après ses humanités au collège Sainte-Marie où il découvre les grands écrivains français, il entre à la Librairie de l'Action canadienne-française dirigée par Albert Lévesque qui l'aide à publier ses premiers écrits. Il se met à l'école d'Olivar Asselin et collabore au Canada et à l'Ordre. Il passe au service de la CECM comme rédacteur de l'École canadienne, devient rédacteur en chef de cette revue en 1948 et en assume la direction en 1954, après la mort de René Guenette, sans toutefois porter le titre de directeur. Affecté par la maladie au début des années 60, il n'a pas écrit depuis.

R EX DESMARCHAIS a poursuivi, à travers ses trois premiers romans, une figure vers laquelle le porte sans doute son tempérament, une figure qui l'obsède jusqu'à lui masquer le reste du monde : l'esthète. C'est comme si l'écrivain s'était fixé, en commençant son œuvre, de peindre une figure pour nous la faire aimer ; et la première ébauche terminée, il s'était aussitôt remis à la tâche pour saisir le même type dans une autre attitude et cela jusqu'à l'épuisement de la forme. Mais nous savons bien que Rex Desmarchais n'a pas procédé ainsi et que, si le narrateur de *l'Initiatrice,* Robert, dans *le Feu intérieur,* et Alain Després, dans *la Chesnaie* se ressemblent au point de nous paraître le même homme à trois âges de la vie, il y a plutôt là chez l'auteur un phénomène inconscient.

Les romanciers se font toujours du héros romanesque une conception plus ou moins avouée et consciente et qui correspond, si l'on veut, à l'homme qu'ils auraient désiré être dans les livres qu'ils lisent et dans la vie. Et nous imaginons sans peine que Rex Desmarchais ait voulu, à vingt ans, être le narrateur de *l'Initiatrice* et même qu'il l'ait été dans une certaine mesure. À l'âge où il écrivait ce premier roman — environ sa vingt-cinquième année — on ne peut s'empêcher de mettre beaucoup de soi dans un personnage, surtout quand celui-ci se raconte à la première personne et que l'auteur dessine plutôt un portrait moral qu'il ne raconte une action.

Car *l'Initiatrice* ne comporte aucune intrigue, rien qui ressemble à une action dramatique. C'est le roman d'un adolescent intelligent, qui a beaucoup lu et qui se révèle plus curieux de lui-même que d'autrui. Ce personnage ne demande à la vie que des émotions. C'est un dilettante, un esthète.

Fils d'un médecin de la Côte-des-Neiges, il hésite à s'enrégimenter dans une profession ou un métier. Toute spécialisation lui paraît indigne de son talent. « Je considérais, dit-il, le spécialiste une espèce de monstre qui néglige la culture humaine au profit d'une science unique [1]. » Il répugne à ce jeune esthète de se limiter. La lecture occupe une grande partie des loisirs que son père lui laisse pour se choisir une profession. Il lit un peu au hasard, avec cependant une prédilection marquée pour les romantiques.

Son ambition serait de voyager, de se prêter, selon son expression, à toutes les beautés, de tirer de tout le maximum d'exaltation. Il avoue qu'il aime la vie, mais l'art davantage. Le malheur l'attire, le fascine. « Était-ce la disproportion entre mon rêve et mes moyens, écrit-il, qui me donnait, dans un âge si précoce, la persuasion que toute destinée humaine ne s'épanouit jamais tout à fait et qu'elle s'achève par un échec [2] ? »

Les autres intéressent ce personnage, non pour eux-mêmes, mais pour lui. Il les assimile aux œuvres d'art et veut tirer des uns comme des autres des émotions, un enrichissement de sa précieuse personnalité. J'ouvre ici des guillemets : « Je regardais les âmes, les produits de l'art comme des violons auxquels il importait d'arracher les sons les plus ardents, les plus enchanteurs. Qu'importe si les cordes, violemment tendues, se brisent tôt, si, avant d'éclater, elles rendent de somptueuses et déchirantes musiques [3]. »

Voilà ! Il a vingt-quatre ans. Seuls ceux qui n'ont pas connu ces moments d'exaltation qui suivent les premières découvertes idéologiques, le premier contact frémissant avec la beauté, verront ici autre chose que la naturelle griserie de l'adolescence sur le point de sortir de son indétermination pour pénétrer dans le monde hiérarchisé et compartimenté de la morale et des responsabilités d'homme. Plus longue a été l'indétermination, plus le rajustement paraît difficile, mais plus aussi il promet de puissance dans l'âge mûr.

C'est une jeune fille, rencontrée au cours d'une promenade dans la montagne, Violaine Haldé, qui va faciliter à ce jeune

[1] *L'Initiatrice*, p. 57.
[2] *Ibid.*, p. 58.
[3] *Ibid.*, p. 57.

demi-dieu le passage à la maturité, en lui révélant l'amour, l'abnégation, le sacrifice. Elle l'entraîne d'abord hors de lui à la poursuite d'un mystère et lui enseigne ainsi une loi nouvelle de la connaissance de soi à travers les autres.

Violaine, l'initiatrice, n'a pas d'autre réalité que cet enseignement. Elle incarne le dernier mythe de l'adolescence avant la définitive abdication de sa précaire et fallacieuse liberté. Bien que le livre soit tout entier consacré à la jeune fille, à peine la voyons-nous un moment comme une personne réelle, mais par contre, comme ce mince reflet nous éclaire l'âme du narrateur !

Rex Desmarchais a écrit des ouvrages au dessin plus ambitieux : *le Feu intérieur,* où il aborde les problèmes du couple mal assorti, *la Chesnaie,* où se font jour de hautes préoccupations politiques, mais, dans aucun de ces romans, l'écrivain ne retrouve la limpidité, l'élan naïf, la chaleur de *l'Initiatrice.* Ce petit livre à demi réussi, d'un lyrisme parfois exalté, innovait au Canada par l'importance apportée au contenu émotif et par l'interprétation sensible — c'est-à-dire sous le mode de la sensibilité — du paysage canadien. Son auteur s'y révélait d'ailleurs un maître de l'introspection. Moins pensé que senti, plein de lacunes au point de vue psychologique et technique, ce premier livre reste, à certains égards, le meilleur du romancier.

Dans *le Feu intérieur,* Desmarchais s'élève des problèmes de l'individu, considéré comme centre du monde, aux préoccupations de la vie familiale. On retrouve ici un autre esthète, Robert, qui a le goût maladif du malheur, doublé d'un sentiment complexe que j'appellerai, faute d'un mot plus précis, le mépris de soi. L'attitude de Robert, en face de la femme notamment, en est une d'attente, d'humilité et, dès les premiers revers sentimentaux, d'autodestruction, bien dans la tradition d'un certain romantisme dont on relevait des traces dans *l'Initiatrice.*

Robert appartient à une famille de fonctionnaires. Instituteur, il n'aime pas son métier et, nous dit l'auteur, il confie à la littérature ses espoirs. Comme le narrateur de *l'Initiatrice,* il a été élevé à la lisière d'un cimetière et il a une terreur morbide de l'action, de l'engagement. Par contre, il a la curiosité des âmes, mais bien qu'il soit romancier, il laisse échapper l'aveu que les êtres vivants le déconcertent. À ses yeux, l'œuvre d'art n'est qu'un moyen de perfectionnement de l'artiste.

En somme, nous assistons dans ce second roman à une réapparition de la figure du début, mais diminuée, amoindrie physiquement aussi bien que moralement, parce que Robert a perdu la grâce de l'adolescence et que son indétermination, sa crainte des responsabilités portent, quand on les rencontre dans un homme, le nom de faiblesse, voire de lâcheté.

La Chesnaie nous apporte une troisième réincarnation de cette figure obsédante de l'esthète dans la personne d'Alain Després, écrivain. Alain, comme Robert, a subi les coups du sort, que prévoyait, qu'appelait presque, le narrateur de *l'Initiatrice*. Il faut lire le récit qu'il fait des malheurs qui l'ont accablé, au début de *la Chesnaie,* dans la lettre qu'il adresse à son ami Hugues Larocque.

Alain Després n'est pas le héros de ce roman. L'éternel adolescent sert ici de repoussoir à un homme que l'auteur veut fort, mais dont il ne nous livre qu'une caricature, Hugues Larocque.

Le grand défaut de ce roman, c'est qu'il est trop construit, trop logique. Quand on s'arrête à son architecture extérieure, on ne peut manquer d'être frappé d'admiration pour l'ingéniosité de l'auteur. Tout y est harmonieux, les parties se correspondent, les moindres mouvements des personnages sont prémédités, calculés, agencés savamment en vue de l'effet à produire : les plus petits gestes, les moindres paroles ont des répercussions sur l'action ou sur l'évolution des personnages. Malheureusement, ceux-ci ne parviennent pas à prendre vie dans cette enveloppe trop parfaite et conçue en dehors d'eux. Le plan ne leur laisse aucune liberté. D'autre part, la psychologie de Larocque, comme celle de Després, est extrêmement faible. L'auteur avait imaginé de faire ressortir la force du premier en s'appuyant sur la faiblesse du second ; il n'a réussi qu'à fabriquer deux fantoches invraisemblables et mécaniques.

La Chesnaie raconte la mirobolante histoire du maître de la Société Secrète Dictatoriale, Hugues Larocque, qui rêve de

devenir dictateur de la province de Québec et qui s'amuse, en
attendant les conjonctures favorables à son dessein, à des expériences de culture et d'artisanat, avec en marge de cette activité,
des tentatives de chantage et un assassinat inutile.

Larocque, pour satisfaire son instinct de mégalomane, en-
tretient autour de lui une troupe d'admirateurs serviles, noyau
de sa future armée. Pour nourrir ces gens, sans avoir lui-même
à recourir à un travail rémunérateur — qui répugne à sa nature
comme à sa dignité de futur dictateur — il exploite sans vergogne son ami Després, qui se laisse — invraisemblablement —
extorquer en quelques mois les $40 000 qui lui revenaient d'un
héritage.

Larocque ne montre de caractère que lorsqu'il s'agit de
dépouiller son ami. Quant à l'esthète, dans sa dernière réincarnation en l'écrivain Després, il n'est pas seulement faible, il est
veule. Volé, trahi par Larocque, qui le fait surveiller quelque
temps par un homme à sa solde, séquestré même et forcé d'assister à un ignoble assassinat par son soi-disant ami, Alain se
complaît dans le rôle de valet que lui assigne son exploiteur.
Et Larocque mort, tué accidentellement par sa maîtresse venue
au secours de l'écrivain, ce dernier pousse l'abjection jusqu'à
regretter son esclavage.

Comme on le voit, le beau personnage de l'esthète s'est
dégradé jusqu'à devenir un être amorphe pour lequel le lecteur
n'éprouve que de la répulsion. Le délicat amoureux de Violaine,
en dépit de son dilettantisme, restait attachant ; Robert gardait
notre sympathie, et ses faiblesses nous inspiraient de la pitié.
Rien ne subsiste de ce qui faisait le charme de cette figure
idéale de l'esthète dans Alain Després.

La déchéance de ce dernier a sans doute libéré l'auteur de
son obsession. Avec une honnêteté admirable, qui est le propre
du grand romancier, Rex Desmarchais a poussé à ses ultimes
limites une créature de rêve.

Léo-Paul Desrosiers

Né à Berthierville en 1896, Léo-Paul Desrosiers fait ses études au Séminaire de Joliette et entre à la faculté de Droit de l'Université de Montréal, qu'il abandonne pour devenir chroniqueur parlementaire du Devoir *à Ottawa, en 1920. Il collabore à* l'Action française *et, en 1928, devient traducteur des* Débats *à Ottawa. Prix de la Province de Québec en 1939, il est nommé conservateur de la Bibliothèque de Montréal en 1941. Élu membre de la Société royale en 1942 et de l'Académie canadienne-française en 1944, il reçoit le prix Duvernay en 1951. Deux ans plus tard, il se retire dans les Laurentides, à Saint-Sauveur-des-Monts, pour se vouer à son œuvre d'écrivain. Il collabore à la* Revue d'Histoire de l'Amérique française. *Il est décédé en 1967.*

R IEN de plus opposé, semble-t-il, que la conception que le romancier et l'historien se font de la vie ; l'un s'élève des événements jusqu'à l'homme ; l'autre part de l'homme et réinvente le monde autour de ses sentiments, de ses pensées, de son action. Et n'allons pas imaginer qu'il n'y a là qu'une différence de méthode ! C'est la notion même d'homme qui est en jeu. Car si l'humanité idéale créée par les écrivains peut faire concurrence à l'état civil, elle diffère pourtant essentiellement de l'humanité réelle que l'histoire nous restitue parfois si péniblement. Entre l'être fictif et l'homme réel, même disparu depuis mille ans, celui-là peut nous paraître plus proche, l'autre seul est entré dans l'éternité...

Chez Desrosiers, les deux formes se marient et on peut relever dans son œuvre l'apport de la technique scientifique à la création romanesque. Ses romans se divisent en deux catégories, suivent le traitement qu'il accorde à ses héros : les romans d'action et les romans de la vie privée. Dans les premiers, les événements, tout imaginaires qu'ils soient, se déroulent dans un cadre véridique, dans une réalité sociale précise, relevant de l'histoire. Ainsi, *les Opiniâtres,* récit des premiers ans de la Nouvelle-France, sont remplis des guerres iroquoises, de massacres de populations civiles et de l'œuvre patiente des colonisateurs. Dans *les Engagés du grand portage,* l'auteur brosse un tableau épique de la rivalité des Grandes Compagnies pour le monopole du commerce de la fourrure au début du siècle dernier. Les romans de la vie privée, d'autre part, comprennent : *Sources* et *l'Ampoule d'or,* deux œuvres où les destins individuels l'emportent sur les conflits sociaux. Entre les deux groupes se place *Nord-Sud,* qui évoque les jours de misère et d'exode de 1859. Chacune des deux lignées aboutit à une œuvre maîtresse, à un roman de grande classe : *les Engagés,* pour le roman d'action ; *l'Ampoule d'or* pour les romans intimes.

Le premier de ces ouvrages est centré sur un homme, Nicolas Montour, qui est sans contredit l'une des plus puissantes figures de toute notre littérature romanesque. Montour, c'est l'ambitieux qui ne recule devant rien pour atteindre ses fins. Ayant reconnu que, dans les Grandes Compagnies, les patrons n'accordent pas d'avancement à ses compatriotes, l'Engagé sait pousser la collaboration jusqu'au servilisme et même jusqu'au reniement des siens et, à force d'intrigues et d'astuce, de trahison et de mensonges, il s'élève jusqu'au rang de bourgeois, au rang si convoité d'associé.

La richesse et l'influence, Montour les achète au prix de son âme. Mais a-t-il une âme ? Et c'est ici qu'on reconnaît, sous le romancier, l'historien et ses méthodes. Desrosiers met ses héros sur pied, il les meut, les entraîne sans nous révéler de leur âme autre chose que ce que nous en apprendrait l'histoire, c'est-à-dire l'interprétation de leurs paroles, de leurs gestes en face de l'événement achevé. Montour nous est connu à travers ses actes et à travers Louison Turenne, qui ne le comprend pas.

Aussi, les descriptions alternent-elles avec les narrations, presque jamais l'analyse. Montour, une fois décrit, ne change plus. Desrosiers nous peint ses passions par leurs manifestations extérieures, il ne nous montre ni leur origine, ni leur évolution, ni les ravages qu'elles font dans l'âme du passionné.

Nous voyons Montour ambitieux, nous le voyons parcourir en trois ans l'effroyable gradation qui va du mensonge au faux serment, du vol simple, presque par nécessité, au meurtre et à la complicité dans le massacre de centaines de personnes. À travers cette apparente évolution, ce qui fait sa force, c'est la constance de son désir, de sa passion. Il n'est pas seulement ambitieux ; il respire l'ambition, c'est elle qui le nourrit ; elle peuple son sommeil et aiguillonne son âme ; chacune de ses paroles, chacun de ses gestes, chacun de ses mouvements, son souffle même est inspiré ou soutenu par la pensée de son avancement. Il dépasse l'individu, devient type et, comme tel, échappe à toute évolution psychologique.

Pourquoi ses crimes ne le marquent-ils pas ? Rappelez-vous Richard III de Shakespeare, le grand ambitieux, le modèle des ambitieux de tous les siècles. Il ne recule pas, lui non plus, devant le crime. Mais il vient un moment où les malédictions de ses victimes émeuvent le ciel contre lui. Pourquoi n'en est-il pas ainsi de Montour ? Pourquoi *les Engagés du grand portage* sont-ils uniquement l'histoire d'une réussite ?

À la fin, Desrosiers nous montre son héros s'enivrant sans vergogne, comme naguère Simon McTavish, le grand bourgeois, devant ses inférieurs et ses égaux, qu'il méprise également parce qu'il les a également trompés et roulés. C'est tout !

Comme elle exclut l'évolution psychologique des personnages, fixés dans leur vérité historique et, en quelque sorte, sous leurs traits éternels, la méthode des Desrosiers exclut l'analyse des sentiments, le récit des débats intérieurs.

Voici Louison Turenne, l'honnête homme un peu lent d'esprit peut-être, mais loyal et sincère, qui symbolise le Canadien français moyen. Montour a reçu de ses chefs l'ordre de s'attacher Louison par tous les moyens à cause de son entregent avec les Indiens. Mais l'Engagé hésite à renouveler son contrat. La petite troupe se trouve à ce moment au Saskatchewan. Turenne protège une fillette indienne à qui il a sauvé la vie. Pour prendre barre sur lui, Montour ordonne à un ignoble Métis de demander la main de l'enfant. C'est la déchéance pour la petite, la misère et l'abandon dans quelques mois. La famille de Lune qui ne peut rien refuser au chef blanc donne son consentement à l'union infâme. Dilemme de Louison : ou il épouse lui-même l'enfant, et sa droiture l'empêchera ensuite de l'abandonner, ou il prie Montour de la sauver d'autorité. Dans ce dernier cas, on lui proposera le renouvellement de son contrat en échange de la faveur.

Cet événement nous est présenté du point de vue de Turenne, mais Desrosiers ne nous révèle rien de la lutte qui se livre dans l'âme de l'Engagé et qui le conduit, dans la nuit qui précède le mariage, à faciliter au risque de sa vie l'enlèvement de Lune par un jeune guerrier de sa race.

Par contre, comme tous ces événements nous sont admirablement décrits !

L'Ampoule d'or, qui fait partie des romans de la vie privée, se rapproche davantage du roman d'analyse. Il se présente même, au premier abord, comme le simple récit de la jeunesse d'une institutrice. Le livre s'ouvre sur cet énoncé de l'héroïne, Julienne : « Je suis vieille et je n'ai jamais été belle, toute ma paix est en moi [1]. » Ces derniers mots suggèrent le sens du récit et nous en livrent déjà la clef.

Un enfant apporte des noisettes à l'école et en jette une poignée dans le pupitre de l'institutrice. Les larmes montent aux yeux de Julienne. C'est que cet enfant est le petit-fils de la Maussade qui, il y a bien longtemps... Et l'histoire commence.

Julienne se revoit à quinze ans, au bord de la grève par un jour de tempête. La mer démontée jette les barques comme des fétus contre la falaise. Toute la population du village se porte au secours des naufragés. La Maussade, créature singulière, dirige les opérations. On fait la chaîne. Le voisin de Julienne est un beau gars de Bretagne, venu à bord d'un voilier pêcher la morue. Il se nomme Silvère. La jeune fille ne l'oubliera plus.

L'institutrice, à distance, peint ainsi la sauvageonne qu'elle était à cette époque : « hardie, volontaire, envieuse, jalouse, obstinée » et, ajoute-t-elle, « je mets dans mes passions une violence qui surprend tout le monde [2] ». Cette adolescente lit saint François de Sales, le père Chardon, Thomas de Jésus...

La rencontre de Silvère transforme sa vie. Elle voudrait sans cesse être seule avec le jeune marin, quelque peu son aîné. Quand les pêcheurs ne sortent pas à cause du gros temps, elle se met à sa recherche et ils s'enfuient dans la campagne, se font des confidences. Une gamine ardente et vive, surnommée le Petit Lutin, se glisse bientôt entre les amants, peut-être avec la connivence de Silvère. Julienne s'exerce à la haine de sa rivale.

Un jour, le capitaine du voilier ayant levé la main sur son amant, la jeune fille se jette sur lui avec un couteau et lui inflige une blessure grave. À la suite de cet incident, le voilier va mouiller dans une autre anse. Julienne le cherche le long de la côte, s'égare dans la forêt...

---

[1] *L'Ampoule d'or,* p. 26.
[2] *Ibid.,* p. 41.

Son père, après cette escapade, lui interdit de revoir Silvère, mais sans lui donner de raisons. En dépit de cette défense, les jeunes gens se revoient, ils s'en vont en mer. Soudain, comme dans la chanson, le vent tourne. La barque, dressée contre des récifs, coule et les amants s'agrippent à la falaise. Ils sont forcés de passer la nuit dans une grotte, à demi submergés, engourdis par le froid.

Au matin, des pêcheurs, envoyés à leur recherche par la Maussade, viennent les tirer de leur mauvais pas. La vieille femme ramène Julienne à demi morte de froid et d'épuisement à la demeure de son père, mais le vieux pêcheur ne la laisse même pas entrer sous son toit. Sa fille a passé la nuit avec un homme marié, en dépit de sa défense, elle s'est déshonorée. Julienne était la seule à ignorer le mariage de son ami.

Recueillie par la Maussade, qui a maintes fois été sa providence dans le passé, la jeune fille reçoit le premier signe de sa vocation. « J'entends, dit-elle, un appel suave, qui me vient peut-être de l'intérieur de moi-même, peut-être des choses extérieures. L'air me murmure un message urgent, insistant, que je ne saisis pas. Ô mon Dieu...[3] »

Il s'écoulera un certain temps, elle traversera d'autres épreuves avant le jour où elle pourra dire en toute vérité : « toute ma paix est en moi ». Un autre homme intervient, car elle ignore que Dieu l'a choisie pour une mission d'amour infini, et elle se laisse de nouveau trahir. Mais tout la conduit vers Dieu. Et elle reprend bientôt son ascension jusqu'au don total, jusqu'à la charité qui divinise.

Comme on peut le constater par *les Engagés du grand portage* et par *l'Ampoule d'or*, Léo-Paul Desrosiers, grâce à sa double méthode d'historien et de romancier, se voit ouvrir deux mondes, immenses et variés, où il peut puiser des êtres aussi différents que Julienne et Montour, Louison Turenne et la Maussade, et les animer dans une réalité sociale et historique étendue au pays tout entier.

---

[3] *L'Ampoule d'or*, pp. 93-94.

Robert Élie

Né à Montréal en 1915, Robert Élie fait ses études au collège Sainte-Marie, à l'Université de Montréal et à l'Université McGill. Il participe au mouvement de la Relève et collabore à plusieurs journaux, notamment à la Presse et au Canada. En 1948, il est directeur adjoint des Services de Presse et d'Information de Radio-Canada. Directeur de l'École des Beaux-Arts de Montréal, en 1957, il est promu, en 1961, à la direction de l'enseignement des arts dans la Province. L'année suivante, il est nommé attaché culturel à la Délégation générale du Québec à Paris. De retour au Canada, en 1966, il est directeur associé du secrétariat spécial du Bilinguisme rattaché au Conseil privé. Prix David en 1950, il est membre de la Société royale.

DANS *la Fin des songes,* son premier roman, Robert Élie nous propose un certain nombre d'énigmes à déchiffrer. Il ne le fait pas pour s'amuser ou pour nous divertir, mais parce que ces énigmes ont à ses yeux une importance primordiale et que leur solution importe, non seulement à l'artiste pour le succès formel de son œuvre, mais à l'homme même. On ne peut s'empêcher de sentir, dans le ton de ce livre, que le romancier s'y est engagé tout entier, qu'il a tout misé sur cet ouvrage et qu'il a gagné.

François Mauriac, dont Robert Élie nous paraît avoir subi l'influence à travers d'autres écrivains, écrit dans son *Journal* que c'est en raison de ce qu'il met de lui-même dans son œuvre que l'écrivain a le plus de chances de voir celle-ci lui survivre. L'auteur de *la Fin des songes,* n'en doutons pas, a mis cette condition de son côté. Non, comme certains pourraient naïvement le croire, en se mettant lui-même en scène, en nous livrant des tranches de son autobiographie, ce serait trop facile ! Son engagement est plus essentiel ; il porte sur son attitude d'homme devant la vie, l'amour, l'amitié, Dieu, en un mot, devant tous les problèmes sur lesquels les romanciers interrogent leurs personnages et par le truchement de ceux-ci s'interrogent eux-mêmes. Et ceci explique les énigmes de *la Fin des songes,* celles que les personnages résolvent et celles qui persistent après que l'auteur et ses créatures ont dit leur dernier mot.

Les réponses des personnages de Robert Élie se groupent, semble-t-il, sous le signe de l'esthétique plutôt que sous celui de la psychologie, de la métaphysique ou de la théologie. D'ailleurs, dans un ouvrage romanesque, si un système philosophique ou esthétique est présumé nécessaire, par contre, les idées ne sont jamais importantes en elles-mêmes. Le romancier ne leur confère de valeur qu'en les retirant du ciel de l'absolu, où elles sont immuables, pour les incarner avec son émotion, dans une forme personnelle. Les idées tirent donc ici leur importance des hommes dans lesquels elles s'incarnent, des vies qu'elles informent, de l'œuvre qu'elles fécondent. Empruntées aux philosophes ou aux autres écrivains, c'est par l'originalité des associations qu'il leur impose, par la passion dont il les réchauffe qu'un artiste les ennoblit et les fait siennes. Il les recrée à sa mesure.

Robert Élie pose le problème de l'incommunicabilité des êtres qui devient ici l'impossibilité pour les hommes de se rejoindre vraiment sur le plan humain.

La Fin des songes, roman à quatre personnages principaux, se divise en trois parties d'inégales longueurs : un long récit — qui occupe plus de la moitié du volume — et qui sert de prologue au drame ; le journal de Marcel, pièce de résistance de l'œuvre, et une troisième partie, où l'auteur montre les conséquences de la mort de Marcel sur son entourage. La première partie paraît, au premier abord, contenir trop de personnages. Il y en a une véritable profusion. Tous ont l'air important, chacun est relié aux autres, puisqu'il s'agit des membres de deux familles. Le héros ne se dégage que lentement de ce magma. Pour ajouter à la confusion, l'auteur nous entraîne tantôt sur une piste, qu'il abandonne peu après, tantôt sur une autre, qui mène à une impasse. À un moment, par exemple, on croit que la politique va jouer un rôle dans la vie de Bernard, mais après deux ou trois rebondissements sans portée, cet élément disparaît ; à la fin d'un autre chapitre, l'auteur soulève le voile sur le mystère de la vie spirituelle de Jeanne, mais là encore, il nous laisse insatisfait et tourne court. On a l'impression d'être engagé dans un embrouillamini inextricable jusqu'au moment où l'on découvre l'importance de cette densité humaine dans la solitude du personnage central, qui prend alors un relief extraordinaire.

Le drame de Marcel Larocque, c'est qu'il n'accepte pas la vie, sa vie ; il voudrait que quelque abstraite raison supérieure l'autorise à ne plus reconnaître les engagements qu'il a pris tout au cours de son existence, à effacer tous les gestes qui ont modelé son âme et l'ont fait ce qu'il est.

Comment est-il devenu ainsi ? Le romancier ne nous le dit pas. Nous le voyons en pleine crise, au moment où il se rend compte que jusque-là il n'a vécu que dans un demi-sommeil, qu'il a été le jouet de ses songes.

Il a épousé Jeanne sans amour ; ils ont deux enfants et vivent dans un état voisin de la misère ; en outre, on le devine, Marcel est malade physiquement aussi bien que moralement. Ses responsabilités, il ne les assume plus, il les subit. Il s'imagine avoir besoin de se chercher dans la solitude, mais c'est qu'il ne peut plus vivre en face de sa femme qui ne le comprend pas, certes, mais qui s'inquiète sans cesse de lui. Cette condition peut conduire au meurtre. Mais si Marcel méprise profondément les êtres, il n'est pas de la race des meurtriers.

Et puis, il y a les enfants, qu'il aime à sa façon, mais qui, eux aussi, dans ce monde implacable, représentent des liens, des entraves, qui l'empêchent de réaliser ses aspirations — des aspirations, qui avaient un nom naguère, qui étaient sans doute précises, mais qui ne sont plus dans l'état d'abrutissement et de demi-sommeil où il se débat qu'un vague désir d'atteindre la **réalité, de se plonger** à corps perdu dans cette mer, de s'y perdre.

Marcel s'enfonce dans un rêve, où ni sa femme, qui « s'est donnée [définitivement] sans rien exiger en retour [1] », ni ses amis Bernard et Louis ne peuvent le rejoindre. Et de ce refuge, lui-même a l'impression de n'avoir plus de prise sur la vie. C'est par l'amour, il le sait bien, qu'on échappe à la solitude, qu'on s'engage dans le réel, mais l'amour, croit-il, lui a été refusé. « Je ne sais pas aimer [2] », répète-t-il tragiquement. Il veut rompre définitivement avec Jeanne, devenir pour elle un étranger ; alors peut-être pourront-ils devenir des amis, car c'est une autre femme qui, maintenant, représente pour lui le salut : Louise, la sœur cadette de Jeanne. Il refuse de reconnaître là une illusion, peut-être comme son mariage ou son amitié. C'est que cet amour est d'abord désir physique, passion dévorante. Naguère, il a voulu faire le délicat, chercher, comme il le dit, « son plaisir

---

[1] *La Fin des songes*, p. 32.
[2] *Ibid.*, p. 16 (citation libre).

dans la nuance ³ », la vie s'est moquée de ses belles manières. On ne l'y reprendra plus. « On ne doit obéir qu'à la vie, dit-il à Louise, et l'amour vient avec elle et nous engage tout entier dans la réalité ⁴. »

Au delà des simagrées, ce qui l'attire en Louise c'est qu'elle lui ressemble. Comme lui, elle a laissé passer la vie. Lui, son mépris des êtres l'a perdu ; elle, c'est une conception surannée qu'elle se faisait de l'amour. Mais ils ne se rejoignent pas et, au fond de l'âme, Marcel sait bien que ce qu'il demande à la jeune fille, il ne peut l'attendre d'aucun être créé. Et c'est la lamentable aventure dans un petit hôtel louche, après une station dans le bar où l'alcool les a fortifiés contre eux-mêmes et contre leur conscience, puis la révélation dont Louise prend conscience la première que ce n'était là qu'une fausse issue.

Mais au moins cet acte, ce péché, qu'il ne considère pas encore comme tel, a mis fin au songe où Marcel vivait depuis dix ans. Il se voit tel qu'il est, loin de tous, seul dans la nuit et, cependant, entouré d'êtres au point de n'avoir même plus de rêves bien à lui.

Grâce à son journal, sa mort ne sera pas vaine.

À côté de Marcel et de Jeanne, l'auteur a placé un autre couple, Bernard et Nicole, séparés pendant quatre ans par la guerre et qui ne se sont pas retrouvés sur le même palier après. Leur drame est comme un échec, ou plutôt comme la reprise sur un autre plan du drame des Larocque. Et Bernard, tout en étant un être réel, ne se sépare pas de Marcel, qu'il complète et dont il est le double.

Bernard se cherche aussi mal que Marcel et il vient bien près de manquer sa vie, lui aussi. La mort de son ami le tire de lui-même et le force de se voir tel qu'il est. Ainsi son aventure commence au point où se termine celle de Marcel.

---

³ *Ibid.*, p. 15.
⁴ *Ibid.*, p. 180-181 (citation libre).

André Giroux

Né à Québec en 1916, André Giroux fait ses études à l'Académie de Québec. En 1936, il occupe le poste de secrétaire au Secrétariat de la Province. Fondateur de la revue Regards, *en 1940, il en assume la direction pendant deux ans. Prix Montyon de l'Académie française en 1949 et prix de la Province de Québec, l'année suivante, il rédige une centaine de textes radiophoniques et plus de cent vingt-cinq scénarios pour la télévision canadienne. En 1957, il fait un séjour d'études en France. Secrétaire au ministère de l'Industrie et du Commerce en 1959, il reçoit le prix du Gouverneur général et, l'année suivante, il est élu membre de la Société royale. Directeur de l'Information, conseiller à l'Éducation, à la Délégation générale du Québec à Paris, sous-ministre adjoint aux Affaires culturelles, il est maintenant à l'emploi du Gouvernement fédéral.*

AU DELÀ DES VISAGES n'est pas un roman ordinaire. Conçu autour d'un crime dont le mobile nous échappe jusqu'à la fin du récit et même au delà, tout entier centré sur un personnage énigmatique et profondément attachant, qui n'y fait qu'une brève apparition, cet ouvrage d'André Giroux, qui se présente au premier abord comme un tableau des mœurs d'une petite capitale, propose en réalité au lecteur un problème métaphysique.

Jacques Langlet a tué une fille dans des circonstances assez mystérieuses. Non qu'il existe des doutes sur le geste lui-même, mais le jeune homme garde le mutisme le plus complet sur les raisons qui l'ont poussé au crime, et nous devons, sur ce point, nous contenter des explications de son confesseur et ami, le père Brillart.

Selon ce religieux, dont l'auteur cite une longue lettre adressée à la mère de Jacques, le jeune assassin aurait étranglé sa victime dans un sursaut de pureté, dans un mouvement de révolte contre le péché. André Giroux a prévu les objections qui pourraient s'élever à ce sujet dans l'esprit du lecteur et, par la bouche du confesseur, il s'empresse de détourner le coup : « Étrange vertu, diront les imbéciles et les faibles, que celle qui conduit à la luxure et au meurtre. Qu'ils triomphent ! Jacques a péché par la chair et il a tué[1] [...] » « Mais, ajoute-t-il, tandis que les autres ne retenaient que la saveur du fruit défendu, lui a violemment vomi cette nourriture empoisonnée [2]. »

N'entrons pas pour le moment dans cette querelle et retenons seulement de cette dernière phrase le rapprochement, la comparaison de la conduite de Jacques avec celle des autres qui,

---

[1] *Au delà des visages,* (collection Bibliothèque canadienne-française), p. 147.
[2] *Ibid.,* p. 148.

s'ils n'ont pas tué, retenaient cependant la saveur du fruit défendu... Il est beaucoup question des autres dans ce roman.
L'auteur a-t-il cru que les vertus de son héros ne brilleraient pas
de tout leur éclat si tout, autour de lui, ne se révélait médiocre,
conformiste ou corrompu ? À chaque page, on croit entendre
une voix qui susurre en sourdine : Au moins, Jacques Langlet
n'était pas comme ce publicain... « C'était comme d'autres que
j' pourrais nommer[3] », dit en parlant de lui la femme de mé-
nage. « Je pense à tous ceux qui déjà te condamnent alors
que [4] [...] », se lamente Marie-Ève, la jeune fille que Jacques a
arrachée à des tendances morbides. « Il ne passait pas son temps
à nous frôler comme plusieurs font [5] », écrit à sa mère la serveuse du restaurant où l'assassin prenait son déjeuner. Et ce ne
sont là que des spécimens cueillis au hasard.

Avant son crime, Jacques Langlet ne diffère pas de beaucoup de jeunes gens sensibles, cultivés, affectueux sans objet et
indéterminés dans leurs désirs. Qui n'a souffert, vers l'âge de
vingt ans, de se sentir incompris, impuissant à agir ? Qui n'a
douté au moins un jour de son aptitude à goûter le bonheur ?

Notre héros romantique n'a point pour le rendre intéressant
à nos yeux une grande idée qui le dévore, un amour désespéré
ou plus simplement le spectacle de quelque drame familial auquel
il trouverait difficile de s'adapter. Au contraire, il coule une
existence tout unie dans une famille, qui a bien subi des revers
d'argent, mais où l'on ne pressent aucune division profonde
susceptible de jeter le trouble dans la vie affective d'un adolescent. Ses problèmes sont uniquement personnels, et au premier
plan de ceux-ci se place celui des relations avec les femmes. La
rigueur de l'éducation que le jeune homme a reçue et sa timi-
dité congénitale, il est vrai, rebutent les jeunes filles vers les-
quelles il se sent attiré de toute l'ardeur de son jeune sang. Mais
rien en tout cela ne semble prédisposer au meurtre.

Au delà des visages est composé des images laissées par ce
jeune fonctionnaire malheureux et criminel dans l'esprit des

---

[3] *Au delà des visages*, p. 61.
[4] *Ibid.*, p. 46.
[5] *Ibid.*, p. 110.

gens qui l'ont connu : ses parents, ses amis, les gens du monde qui l'ont reçu naguère, ses compagnons de travail, quelques indifférents aussi, qui, par hasard, sont tous des hypocrites, des tartufes.

Le meurtre nous apparaît obliquement à travers ces gens, ainsi que la personnalité de Jacques Langlet, mais surtout ces gens se dépeignent eux-mêmes inconsciemment. Ici, l'observation ne suffit plus ; le romancier se dédouble, se décuple, il s'incarne dans chacun des personnages qu'il fait témoigner ; il prend leur ton, leurs grimaces, débride leurs refoulements et leurs psychoses et réussit des portraits intérieurs d'une bouleversante acuité. Ces pages, imprégnées d'une ironie mordante, sont d'un grand artiste.

Si les comparses se livrent dans leur témoignage sur Jacques Langlet, ils n'ont cependant connu qu'un aspect tout extérieur du jeune homme. Aucun d'eux ne l'a compris, parce qu'ils sont incapables de regarder au delà des visages, c'est-à-dire au delà des gestes et du comportement extérieur d'une personne.

Dans le chapitre où un groupe de dames de la société sont réunies pour leur partie de bridge hebdomadaire, on ne peut s'empêcher d'admirer l'art avec lequel André Giroux fait sauter les masques pour nous faire voir dans un éclairage brutal ce qu'il voit au delà de certains visages.

Telle est la société : « En notre monde bassement matérialiste, écrit le père Brillart, Jacques a été une essence de lumière. Parmi les égoïsmes, il voulait diffuser sa générosité et sa noblesse. Mais le vase de plomb de notre infecte société — vraie prison parfois — n'a pas toléré qu'il rayonnât. Voilà le drame, que certaines grandes âmes soient forcées de mépriser ou de haïr ceux qu'elles devraient surélever dans l'estime et l'amour [6]. »

On pourrait croire, à la lecture de ce paragraphe, où la noblesse de Jacques s'oppose à l'indignité de son entourage, que le jeune homme a été poussé au crime par la société. Il n'en est rien. Certes, un tel parangon de vertu n'était pas aimé, il n'était pas compris, mais selon le même père Brillart auquel il faut

[6] *Ibid.,* pp. 145-146.

toujours revenir, Jacques fut « la victime de l'éternelle soif du bien et du mal [7] ».

En s'en tenant aux données du roman, il est extrêmement difficile d'éclaircir le mystère de Jacques sans transposer le drame sur le plan métaphysique. C'est sur ce plan que se tient le père Brillart qui voit dans ce qui s'est passé un drame de la pureté. Car, dit-il, « si l'intrigue de cette tragédie a été charnelle, l'esprit qui en a inspiré le dénouement est tout spirituel [8] ». Et dans sa prison, le jeune assassin est maintenant « en communion intense avec le Christ. Vous pensez que j'exagère ! s'écrie le religieux. Hélas ! je mesure au contraire mon incapacité à sonder l'abîme où baigne l'âme de Jacques [9] ».

Nous sommes donc loin du compte quand nous voyons en ce héros un vulgaire criminel. Le père Brillart, sans creuser le crime que réprouvent les lois divines et humaines, n'hésite pourtant pas à parler du jour du meurtre comme d'un jour « mystérieusement providentiel [10] ».

Que devons-nous conclure ? Que Jacques Langlet est un saint ? Les voies de Dieu sont insondables, mais cette explication d'un crime nous laisse insatisfaits. Dans notre esprit, la sainteté, qui n'exclut pas le péché, se concilie mal avec le mépris des êtres. Par contre, sur un autre plan, psychologique celui-là, cette attitude d'esprit pourrait être l'explication d'un meurtre autrement incompréhensible : Langlet ne voyait dans sa complice d'une nuit qu'un instrument de sa déchéance, l'incarnation du Mal. Pourquoi faut-il qu'à nos yeux cette malheureuse fille soit elle aussi un être humain, une créature de Dieu ?

Ce mépris des autres, cette conviction qu'il est supérieur par sa nature aussi bien que par son éducation aux êtres qui l'entourent, perce à chaque pas dans la conduite de Jacques. Dans ses relations avec ses semblables, il ne paraît à l'aise qu'avec ceux qu'il juge ses inférieurs : la serveuse du restaurant, la femme de peine de sa mère, dont il n'oublie pas les étrennes

[7] *Au delà des visages*, p. 148.
[8] *Ibid.*, p. 146.
[9] *Ibid.*
[10] *Ibid.*, p. 145.

à Noël ; avec ses égaux, il se montre hautain, sarcastique, distant ; leurs propos grossiers le rebutent.

Partout, à travers les témoignages plus ou moins sympathiques de ceux qui l'ont connu, nous le voyons soucieux de soigner son personnage. Il suit ostensiblement le convoi d'un inconnu... Et avec M. Édouard Giguère, dont il a découvert l'inconduite secrète, il paraît s'être complu dans un rôle de justicier peu compatible avec l'auréole de la sainteté.

Mais toutes les tentatives de déchiffrer Jacques Langlet ne peuvent aboutir qu'à des approximations. C'est sans doute ce que souhaitait l'auteur. Cependant, sans rejeter le témoignage du père Brillart, il est permis de chercher une explication psychologique du crime, comme nous l'avons fait, dans l'orgueil inconscient du jeune assassin, dans un mépris des autres si poussé qu'il peut, dans un moment de passion, lui faire oublier leur qualité d'êtres humains. Ce mépris n'est pas inventé par nous après coup ; il ressort de toute l'attitude du personnage au long du roman, comme de la lettre, si révélatrice, du père Brillart.

Quoi qu'il en soit, le roman se termine en plein mystère. *Au delà des visages* n'est peut-être, sous sa forme actuelle, que le prélude d'une aventure spirituelle dont l'auteur promettait dans une interview de nous donner la suite dans un prochain ouvrage. De toutes façons, un roman qui pose de tels problèmes fait honneur au romancier qui l'a conçu et il mérite une place de choix dans la jeune littérature canadienne.

Germaine Guèvremont

*Née en 1893 à Saint-Jérôme dans les Laurentides,
Germaine Grignon passe son enfance à Sainte-
Scholastique où son père occupe la fonction de
protonotaire. Après de courtes études qui la con-
duisent de Saint-Jérôme, à Lachine et à Toronto,
elle occupe la fonction de secrétaire d'avocats au
Palais de Justice du chef-lieu. Installée à Sorel
après son mariage à Hyacinthe Guèvremont, elle
s'initie au journalisme comme courriériste de* la
Gazette de Montréal *et devient par la suite rédac-
trice du* Courrier de Sorel, *en 1928. Elle s'établit à
Montréal avec sa famille en 1935 ; elle est secrétaire de la Société des Écrivains, collabore à la
revue* Paysana *de 1938 à 1945, à l'Œil en 1940 et
1942 et au* Nouveau Journal *en 1961-1962. Prix
Duvernay en 1945, et du Gouvernement de la
Province en 1947, médaille du Gouverneur général
pour* The Outlander, *elle est reçue à l'Académie
canadienne-française et est accueillie au sein de la
Société royale. Docteur honoris causa ès lettres
des universités Laval et d'Ottawa, Germaine Guèvremont est décédée en 1968.*

LES éditeurs américains de Mme Germaine Guèvremont publient en un seul volume et sous le même titre *le Survenant* et *Marie-Didace,* comme s'il s'agissait d'un roman en deux parties. En réalité, il s'agit des deux premiers volumes d'une trilogie que l'auteur entend consacrer à la famille imaginaire des Beauchemin.

Le premier volume raconte l'humiliation du fils aîné, Amable Beauchemin, auquel son père préfère un étranger ; le second nous montre l'humiliation de Phonsine, la bru, supplantée dans la maison par l'Acayenne ; le troisième, enfin, doit nous conduire à la ville, à la suite de Marie-Didace, dernière survivante des Beauchemin du Chenal du Moine.

Chacun des romans a son thème propre et raconte une histoire complète. Si dans *le Survenant,* des allusions à l'Acayenne semblaient promettre une suite à la chronique, par contre, dans le même volume, la nouvelle de la mort du Survenant en Europe mettait le point final à ce premier épisode. De même, la mort de l'Acayenne et la folie de Phonsine, à la fin de *Marie-Didace,* complètent la deuxième aventure ; mais fidèle à sa méthode, l'auteur indique dans les dernières pages du livre la possibilité d'une nouvelle tranche de vie, dont la petite Marie-Didace sera l'héroïne.

La publication en un seul volume des deux premiers épisodes soulignait le lien étroit qui existe entre les deux récits et, en même temps, apportait un changement de perspective. *Marie-Didace* nous montre les conséquences du passage du Survenant au Chenal du Moine, conséquences de toutes sortes, dont les plus pénibles ne sont peut-être pas les plus évidentes, comme le désespoir d'Angélina Desmarais ou le mariage du père Didace avec l'Acayenne. Tout dans ce roman se situe dans le prolongement du premier, tout y rappelle sans cesse le souvenir de l'Aventurier. Mais à la fin de ce volume, notre soif de connaissance des personnages, que l'auteur nous avait présentés dans *le Survenant,* est comblée. Bien plus, toutes les grandes figures : le Survenant, le père Didace, Amable et même l'Acayenne nous ont livré leur secret et sont disparues. Il ne reste que l'inconsolable Angélina Desmarais, Phonsine, qui a enfin réalisé son ambition de régner dans la maison des Beauchemin, mais qui règne dans un désert, et Marie-Didace, aperçue jusqu'ici sous son plus mauvais jour.

Alors qu'en lisant *le Survenant,* on s'attachait à cette étrange figure, qui reléguait le reste des Beauchemin dans la grisaille, alors que dans *Marie-Didace,* l'Acayenne concentrait sur elle toute l'attention du lecteur, on constate à relire à la suite et d'affilée les deux romans que le personnage central de ce dyptique ce n'est plus le Survenant, qui domine toujours incontestablement le premier volume, ni l'Acayenne, ni le père Didace, personnage de légende, mais bien l'humble, la tenace, l'obscure Alphonsine Ladouceur qui, tour à tour, a raison de son mari, de son beau-père, de l'Acayenne et qui reste à la fin maîtresse incontestée du domaine pour la possession duquel elle est allée jusqu'au crime.

Pour comprendre la passion d'Alphonsine et son drame, il faut avoir une idée de ce monde des Beauchemin, tel qu'il se présentait à l'observateur vers 1908, avec ses mœurs patriarcales, son échelle particulière des valeurs, son inébranlable confiance dans l'immutabilité de toutes choses. Aujourd'hui, des problèmes à la mesure du monde se posent aux habitants du Chenal du Moine, mais en 1917, ils s'aperçurent à peine de l'existence d'un conflit mondial à l'accroissement des revenus de leurs terres. À un demi-siècle de distance, on serait tenté de croire que Mme Guèvremont a inventé de toutes pièces non seulement ses personnages, mais l'époque elle-même. Pourtant son art ne trahit pas la vie. Époque et personnages sont bien à la fois imaginés et réels, observés et créés, empruntés au temps et distillés de la plus pure substance de la vie.

Les personnages de Mme Guèvremont sont de grandes figures paysannes, à la fois individualisées et universelles, inscrites

dans la courbe précise d'un destin personnel et cependant repré-
sentatives d'une façon de penser et de vivre proprement canadiennes.

Dans ce monde du Chenal du Moine, les qualités et les
vertus exigées des hommes et des femmes sont plus près de
l'idéal de la tribu primitive que des valeurs honorées dans les
civilisations. Et la première de ces qualités, c'est la force, qui
inspire le respect aux hommes, l'admiration et l'amour aux femmes. Viennent ensuite le courage, inséparable de la santé et de
la force mais moins souvent en évidence, l'adresse physique et
l'attachement à la terre.

Les hommes parlent peu, se méfient des mots, surtout
quand ils ont à prendre un engagement ou à exprimer des sentiments. Les femmes, plus déliées d'esprit que les hommes, mais
soumises en tout à ceux-ci et les unes aux autres dans la maison,
où la plus sage règne, se voient appréciées à leur tour selon des
critères qui n'ont pas changé depuis le temps d'Andromaque,
où l'on exigeait des épouses, de préférence à l'esprit et à la
beauté, la vaillance à la tâche et la fécondité.

Il va sans dire qu'il n'y a qu'un maître dans ces domaines,
où travaillent parfois plusieurs familles, et c'est le possesseur
de la terre. C'est lui qui décide des travaux et des prix et qui,
tout le temps qu'il reste le plus fort, exerce une autorité despo-
tique sur ses enfants et les enfants de ses enfants. Sa femme
règne dans la maison et quand le fils aîné se marie, son épouse
doit accepter le joug de la femme régnante.

Nous sommes bien dans un monde d'hommes, créé pour
les hommes et gouverné par eux, mais ici, ce monde nous est
présenté du point de vue des femmes. On ne trouve pas dans
le Survenant ou dans Marie-Didace la lutte gigantesque de
l'homme contre le sol hostile, la lente et perpétuelle transformation de la terre sous l'effet du ciel et des saisons, ou les
inquiétudes du paysan au moment des tempêtes ou des catas-
trophes naturelles. Et il est plus souvent question de chasse et
de fêtes que de labours ou de récoltes. Quant aux inondations,
ne menacent-elles pas d'abord le royaume des femmes ?

Les deux romans de Germaine Guèvremont sont donc moins des romans de la terre, des romans paysans, que le roman de la condition des femmes, de leur insécurité dans le monde champêtre. Ses héroïnes sont des femmes humiliées par les hommes et par la vie : Angélina Desmarais et Alphonsine Ladouceur. La première a aimé le Survenant, ce grand seigneur des routes, arrivé un jour au Chenal du Moine et qui est resté un an chez les Beauchemin, impressionnant tout le monde par sa force, son adresse et aussi son mystère. L'infirme Angélina, fille d'un riche cultivateur, a mis son héritage au pied du grand-dieu-des-routes, mais rien ne peut le retenir. Méditant de repartir, il se sent étranger parmi ces sédentaires qui ne peuvent pas plus le comprendre qu'il ne peut les aimer.

Mais le drame d'Angélina, abandonnée par le Survenant, pâlit quand on le compare à celui de Phonsine, petite orpheline qui n'a jamais eu le sentiment d'être à sa place nulle part et qui porte partout avec elle cette frustration. Après la mort de sa mère, son père, ivrogne et dénaturé, a tenté de se débarrasser de la petite Phonsine en la confiant à sa sœur. Mais comme il ne pouvait payer sa pension, la fillette fut renvoyée. Son père la mit alors à l'orphelinat.

Volontaire et ambitieuse, Alphonsine s'élève par ses propres moyens jusqu'à devenir institutrice de rang. Amable Beauchemin lui fait la cour. C'est à cette époque le plus beau parti du Chenal, et Alphonsine le fait attendre. Elle cherche sa vérité et elle cherche une place qui soit bien à elle, ce qui revient au même. Elle va à la ville, mais n'y trouve pas ce qu'elle cherche. Après un an, elle revient à Amable, se soumet : « Si tu veux encore de moi... si tes sentiments n'ont pas changé... [1] »

Amable manque de caractère, mais Alphonsine n'en a pas trop souffert dans les premiers temps. Elle a servi sa belle-mère, et un moment, elle a eu l'impression d'avoir trouvé sa place. Mais à la mort de Mathilde Beauchemin, elle n'a pas su la remplacer. Elle n'est pas vive et ne sait pas se rendre indispensable. Après quatre ans de mariage, son beau-père continue de la traiter

---

[1] *En pleine terre*, p. 18 (citation libre).

comme l'étrangère qui a épousé Amable. Elle n'a pas encore d'enfant.

C'est alors que le Survenant frappe un soir à la porte des Beauchemin. Il représente l'aventure, le risque, la force, l'adresse. Il est vaillant à l'ouvrage et ne tarde pas à ensorceler le père Didace. Aux yeux d'Alphonsine, le Survenant c'est l'étranger que le père Didace préfère à son mari, l'homme qui pousse le vieux maître à se remarier avec une femme plus jeune. À cause de lui, elle devra vivre avec l'Acayenne, épousée secrètement par son beau-père ; à cause de lui, son mari la quittera et ira vivre à la ville ; à cause de lui, elle sera réduite au rôle de servante.

Amable mort, elle regagne un peu de prestige à la naissance de la petite Marie, mais presque aussitôt Didace meurt à son tour et Alphonsine reste seule avec l'Acayenne, qui lui vole l'affection de sa fille, tente de la chasser de la terre et l'accule peu à peu à la folie et au meurtre.

Madame Guèvremont possède un style substantiel et plein, relevé de poésie et d'humour. L'humour joue un grand rôle dans l'œuvre de cet écrivain qui excelle à raconter l'anecdote et l'historiette qu'elle fond habilement dans la trame de son récit pour mettre en valeur un trait de caractère ou de mœurs. Quant à la poésie, elle enveloppe tous les personnages.

François Hertel

Né en 1905 à Rivière-Ouelle, François Hertel (de son nom Rodolphe Dubé) entre chez les Jésuites à l'âge de vingt ans et est ordonné en 1938. Tour à tour professeur de littérature, de philosophie et d'histoire, il enseigne aux collèges Jean-de-Brébeuf, Sainte-Marie et André-Grasset, ainsi qu'au collège des Jésuites de Sudbury. Il collabore à plusieurs périodiques et dirige, en 1946-1947, la revue Amérique française. Membre de l'Académie canadienne-française, Hertel a toujours suivi de près les œuvres des jeunes écrivains du Québec. Vient ensuite son départ pour Paris et un exil qui n'est interrompu que par quelques rares visites au Canada. Il dirige dans la capitale française une revue d'art, Rythmes et Couleurs, et une maison d'édition, La Diaspora française.

L ES personnages hertéliens se partagent en trois groupes bien distincts, correspondant à trois époques de la vie de leur auteur : les premiers sont des êtres de mémoire, évoqués par le professeur de lettres ; les seconds appartiennent au monde de l'intelligence, plus particulièrement à la critique ; le troisième groupe, enfin, créé à Paris, comprend des êtres de chair et de sang, engagés dans une aventure humaine. Ces derniers seuls possèdent un semblant de vie autonome et nous intéressent par leur qualité de personnages de roman.

Dans *le Beau Risque,* qui relate la lutte d'un jeune esprit tiraillé entre l'influence de sa famille et celle du collège, le problème est posé trop superficiellement pour permettre l'épanouissement de personnalités aux contours précis. Pierre Martel est attiré par la culture et aussi par le monde et, avec cette indétermination qui caractérise l'adolescence, il craint en choisissant l'un de ne pas connaître l'autre. Il n'y a pas à proprement parler de conflit. Quant au père Berthier, choisi comme narrateur, il manque de maturité et ne comprend même pas le problème, ne doutant à aucun moment que la vérité ne soit du côté du collège.

Il n'y a pas de conflit non plus dans les trois volumes consacrés aux élucubrations de Charles Lepic et d'Anatole Laplante : *Mondes chimériques, Anatole Laplante, curieux homme* et le *Journal d'Anatole Laplante.* Laplante et Lepic sont des créations purement cérébrales que François Hertel, le premier, ne prend pas au sérieux.

Laplante, d'abord avec Lepic, puis seul, va nous livrer leurs réflexions sur les livres, la religion, la culture, les Canadiens français. La folie de Lepic, aussi invraisemblable que son faux départ et ses voyages, n'interrompra pas ces exercices dans lesquels Hertel voit aujourd'hui un roman philosophique.

Jusqu'ici, l'auteur de *Mondes chimériques* s'est surtout intéressé aux idées ; aucune des œuvres de ces deux premiers groupes ne tentait une véritable reconstitution de la vie. *Six Femmes,
un homme* marque la première incursion de François Hertel
dans le domaine de la création romanesque.

Ce roman, publié à Paris il y a quelques années et dont on
a peu parlé dans nos journaux, raconte la passion dévastatrice
d'un homme de quarante ans pour une femme de vingt ans, ses
maladresses d'adolescent attardé, qui perd tous ses moyens en
présence de l'être aimé ; ses tentatives de séduction et, enfin,
la faillite de cette première aventure, qui prend dans sa vie la
proportion d'un désastre moral.

Nous avons l'impression, en lisant *Six Femmes, un homme*,
d'assister à une séance de vivisection, mais au lieu d'un animal,
c'est une âme humaine qui est là, sur la table, sous le réflecteur,
et qui sert de sujet d'expérimentation. On n'était jamais allé
aussi loin, du moins parmi les écrivains canadiens, dans l'analyse d'une âme en proie au délire de la chair, et je ne vous cache
pas, que l'œuvre dégage une impression de malaise qu'il est
difficile de surmonter.

Gombauld, le héros de cette histoire, nous est révélé, pre-
mièrement, selon le procédé de la méthode indirecte, c'est-à-dire
par le truchement d'un narrateur ; deuxièmement, par ses confidences et ses lettres ; enfin, par transparence. Et il est difficile
de dire lequel des trois procédés le met le plus à mal, le laisse
plus pantelant et désarmé sous l'œil du lecteur.

Le narrateur est un vieux philosophe, versé dans la psy-
chanalyse, à qui Gombauld confie ses problèmes amoureux. Le
cas Gombauld paraît, dès le début, assez simple au lecteur, mais
on ne sait pourquoi il est presque insoluble pour le vieux confident et, il va sans dire, pour la victime, le malheureux
Gombauld.

Le narrateur nous présente son ami comme un agrégé de
philosophie qui, attiré par les formes, s'est fait sculpteur. Son
métier et même son titre d'agrégé ne jouent qu'un rôle accessoire
dans le récit. À trente-cinq ans, Gombauld s'était juré de ne plus

aimer jamais. À la suite de quelles expériences, on ne nous le dit pas. « Il avait tenu parole au moins cinq années. Après ce laps de temps, il s'était cru invulnérable. Sculpteur, son art lui suffisait. Il savait d'ailleurs le faire alterner avec des recherches philosophiques qui le passionnaient [1]. »

Il faut croire que notre agrégé-sculpteur s'offre parfois des compensations plus matérielles puisque c'est dans un bal du cinquième qu'il rencontre Lola. Il se conduit avec cette jeune personne comme un potache. Curieux de son mystère, il l'interroge sur sa vie, assez piquante comme toutes les histoires de ces dames. Un Levantin avait abusé de sa candeur. « Maintenant, elle gagnait péniblement sa vie dans ce métier louche [2]. » Gombauld la revoit — il les revoit toujours — car la femme, je devrais dire la féminité, c'est pour lui une obsession.

Bientôt Lola le fuit. C'est à ce moment qu'il consulte son ami, le narrateur. Notre roué trouve en effet la conduite de Lola incompréhensible. « Elle aura tôt fait de te conduire au mariage [3] », lui dit le confident qui a vu sans lunettes dans le jeu de la gonzesse. Ainsi prévenu, Gombauld évitera le piège tendu par Lola.

Suzanne et Isabelle, les deux autres dulcinées du sculpteur, étaient des jeunes filles de familles bourgeoises et il les respectait. La première ne put s'empêcher de l'aimer et il a fui ; l'autre s'est noyée dans le Saint-Laurent.

Mais la véritable histoire de Gombauld commence à Rio de Janeiro, où le sculpteur, grâce à un ami brésilien, a obtenu une commande officielle. Il va un peu dans le monde et on lui présente une jeune beauté, Reine Blondel-Martinez, née à Rio de parents français et mariée à un ex-aventurier espagnol, prématurément vieilli et grognon et, par surcroît, malheureux dans ses entreprises. « Tôt déçue par son mari, nous dit le narrateur, surtout parce qu'au lieu de monter dans l'échelle sociale, il ne cessait de descendre, [Reine] s'était repliée sur elle-même [4]. »

[1] *Six Femmes, un homme*, p. 9
[2] *Ibid.*, p. 10.
[3] *Ibid.*, p. 16.
[4] *Ibid.*, p. 50.

Elle avait vingt et un ans et aspirait à aller vivre à Paris. « Calculatrice et froide, elle était à l'affût de celui qui la tirerait de l'atmosphère médiocre où elle vivait [5]. »

Elle jette son dévolu sur Gombauld. Celui-ci, flatté dans sa vanité, entreprend d'initier la jeune femme à la littérature et à la philosophie. Comme on le voit, le malheureux sculpteur n'était point très habile avec les femmes. Sans doute, « il était trop honnête, trop pris par son œuvre [6] ». C'est pourtant lui qui aide la jeune femme à se trouver un alibi pour quitter Rio sans scandale.

Les voici à Paris. Gombauld guide amoureusement les pas de Reine dans les musées et les restaurants. Il a d'abord trouvé une chambre à la jeune femme près de son atelier, mais bientôt, il l'installe sous son toit. Enfin, après un an et demi de ces fréquentations, de cette cour angélique, le sculpteur veut sa récompense. Il y fait allusion ; on ne l'entend pas. Il insiste, on lui reproche de manquer à l'amitié. Enfin, notre roué voit clair sans consultation auprès de son ami le philosophe. Il se fâche, traite la jeune femme d'aventurière et la met à la porte.

Voilà pour la méthode indirecte. Le récit est déjà transparent pour le lecteur un tant soit peu averti. Mais l'auteur se veut impitoyable et il nous livre les douze lettres de Gombauld à sa Reine. Cette correspondance constitue un chef-d'œuvre de dialectique amoureuse et un modèle de petit traité de séduction. Ici, la transparence joue à plein et nous révèle le vrai fond du problème. Les lettres suivent la courbe de l'aventure que nous connaissons déjà dans ses grandes lignes, mais cette fois sur le plan de la passion, qui est l'unique sujet de ces poèmes en prose.

Voici les thèmes des trois premières lettres : « Tu m'as conquis peu à peu, je t'appartiens [7]... » « Il est vrai que je ne sais pas aimer... [8]. » « Tu me trouves pressé. En effet, j'ai hâte que tu sois à moi. J'ai hâte de vivre. Je suis pressé de vivre

---

5 *Six Femmes, un homme*, p. 52.
6 *Ibid.*, p. 58.
7 *Ibid.*, p. 73.
8 *Ibid.*, p. 76.

parce que j'ai quarante ans et que tu es peut-être ma dernière chance de vie [9]... »

La progression est ascendante jusqu'à la douzième épître. Pendant ce temps, Reine reste muette. La huitième lettre nous le confirme en ces mots : « Je t'écris, tu me lis. Je te parle, tu m'écoutes. Jamais de toi un mot ne sort [10]. »

La douzième lettre est vraiment pathétique. La détresse touche là le fond de l'abîme. Nous sommes en face d'un être qui souffre, non pas tant de l'échec de ses tentatives de séduction que du désastre intérieur qui en résulte.

Mais l'auteur n'a pas encore épuisé sa matière. On aurait envie de lui crier : C'est assez ! Il faut maintenant qu'il nous montre la misère morale de Gombauld, sa turpitude même, en insistant sur les frais qu'il a faits pour la jeune femme, sur le prix matériel qu'il a payé cette aventure, dans un journal, où la cruauté à l'égard du sexe faible le dispute au ridicule.

Dans la solitude, où il s'est retiré pour évaluer les dommages, le sculpteur-philosophe s'avise bien de sa folie, mais son orgueil ne s'avoue pas vaincu. « J'ai non seulement péché devant Dieu et devant les hommes, dit-il. Je me suis pour ainsi dire péché à moi-même. On n'a pas le droit à un certain âge de manquer à ce point de discernement. Ce dont j'ai le plus honte, c'est d'avoir manqué de jugement [11]. »

Il en manque encore, dans le dernier chapitre du roman, où il se laisse enlever par une danseuse.

Six Femmes, un homme est un ouvrage mal construit et d'une psychologie incomplète en ce qui touche les femmes. Quant au style, Hertel se rappelle trop qu'il est psychologue et philosophe et il abuse du jargon technique, mais dans les lettres, il a prêté à son personnage des accents d'une indiscutable authenticité. En fait, ces lettres sont la plus belle partie du livre.

Si le créateur de Gombauld n'a pas réussi un chef-d'œuvre, il a néanmoins animé un personnage qui mérite de survivre.

[9] *Six Femmes, un homme*, pp. 77-78.
[10] *Ibid.*, p. 87.
[11] *Ibid.*, p. 141.

André Langevin

*Né à Montréal en 1927, André Langevin a pratiqué
de nombreux métiers avant d'entrer au* Devoir *en
1946 comme chroniqueur littéraire. Il continue le
même travail l'année suivante pour le compte de*
Notre Temps. *C'est en 1948 qu'il est appelé à la
Société Radio-Canada où il devient rédacteur à l'information pour le réseau français. Promu bientôt
réalisateur à la Société d'État, il y mène comme
écrivain une vie retirée et silencieuse. Pourtant, le
romancier et le conteur feront place à l'essayiste qui
a beaucoup parlé du Québec. Sa collaboration spo-
radique au* Devoir, *au* Quartier latin, *à* Notre
Temps *puis à* Liberté *devient assidue au* Magazine
Maclean *de 1962 à 1969. Ses prises de position
brillantes et énergiques lui valent le prix Liberté
67. Il s'était auparavant mérité le prix du Cercle du
Livre de France en 1951 et celui du Théâtre du
Nouveau Monde en 1958.*

É VADÉ DE LA NUIT d'André Langevin raconte le drame spirituel d'un mauvais garçon dont le bref destin est rempli de
désastres. Ce garçon, Jean Cherteffe, qui se définit lui-même
« un névrosé et de la pire espèce, celle que les psychiatres ne
peuvent dépister [1] », pourrait s'écrier avec plus de vérité que le
grand écrivain romantique : « Tout ce que j'ai connu, aimé ou
fréquenté est devenu fou et moi-même je finirai là [2]. » Il finit
en effet par le suicide, ayant auparavant vu mourir tous ceux
qui lui touchaient de près et, en particulier, sa jeune femme,
Micheline, seul être qui le rattachât vraiment à une existence
empoisonnée à la source.

À une autre époque, Jean Cherteffe eût sans doute été
considéré comme possédé du démon. Il se croit habité par un
mort et il est le premier surpris des actes qui sortent de lui :
enfin, il met un acharnement diabolique à s'avilir de toutes
sortes de façons et à souiller tout ce qu'il touche. Partout, toujours, il se sent étranger, ne s'arrachant au rêve qui l'emmure
que pour de brèves et désastreuses apparitions dans la vie de
ses semblables.

Aujourd'hui, la science catalogue ce genre de maladies ;
elle se fait fort de nous en révéler l'origine, le développement et
l'aboutissement ; dans certains cas, elle se vante d'en indiquer
le traitement. Cependant, les malades gardent suffisamment de
mystère pour que leurs cas continuent de relever du domaine
de l'art. Le fait que la psychologie peut étiqueter les symptômes
dont souffre un Jean Cherteffe n'empêche nullement le drame
et laisse intacte la vérité esthétique du personnage.

Que la responsabilité morale du héros soit amoindrie par
la présence d'une fixation qui remonte à sa première enfance,

---

[1] *Évadé de la nuit*, éditions de 1966, p. 140.
[2] CHATEAUBRIAND

ne réduit en rien la portée du problème, qui est d'ordre psychologique et même théologique. Ce dernier mot n'est pas venu
sous ma plume par hasard. C'est, en effet, à mon avis, l'un des
caractères les plus marquants de ce roman, conçu sous le signe
du malaise et d'une poésie indéniablement morbide, dont au
surplus la philosophie paraît souvent en contradiction violente
avec la doctrine chrétienne, qu'on y sent sous toutes les pages
un courant spirituel et que le surnaturel en est comme la trame
sous-jacente.

Évadé de la nuit, en dépit de la multiplication des épisodes, est un roman intérieur, chargé d'idées fulgurantes que
l'auteur projette autour de ses personnages et qu'il ne prend pas
toujours la peine de relier entre elles et de développer, un roman qui se fait à l'insu du personnage principal, mais à même
sa chair et son sang.

Le drame de Jean Cherteffe, c'est le drame du père, perdu
dans l'enfance et auquel se substitue une création de l'esprit,
puis retrouvé dans l'adolescence, jugé indigne et condamné.
Cette condamnation de son père pèse de tout son poids de
remords et de frustration sur la vie de Cherteffe. Il ne peut alors
se dérober à la plus vieille malédiction qui existe — malédiction
qui est moins une condamnation divine qu'une déchéance inhérente à la haine de soi, à quoi se ramène, se résume en définitive
la haine du père.

Le refus du père entraîne le refus du monde, où l'image
du père se concrétise à tout moment dans les relations sociales,
le refus de Dieu, qui est le Père par excellence, enfin, le refus
de soi, continuation du père, et le suicide. Le héros *d'Évadé de
la nuit* n'échappe pas à ce déroulement inexorable.

Nous rencontrons Jean Cherteffe pour la première fois dans
la maison mortuaire, où son père repose en chapelle ardente,
gardé par des femmes : la tante Marguerite et la petite bru au
« sourire fragile [3] ». Au premier abord, il ne paraît pas différer
des autres timides qui perdent toute maîtrise d'eux-mêmes devant les étrangers. Dans l'antichambre de l'établissement, on lui

---

[3] *Évadé de la nuit,* p. 12.

demande : « Qui désirez-vous voir ? [4] » Cette question n'a rien
de bien imprévu, croyez-vous, rien de quoi laisser un jeune
homme de vingt ans décontenancé. Et pourtant, cette simple
question lui fait perdre contenance. L'auteur nous dit : « Impré-
vue, la question le laisse un instant décontenancé [5]. » Que peut
avoir d'imprévu dans un établisement mortuaire la question :
« Qui désirez-vous voir ? »

Quand il s'est remis de cette émotion et que « d'une voix
qu'il veut dégagée et placide [6] », il a indiqué ce qu'il cherche,
il s'étonne qu'on le conduise auprès de son père. « Demander
une communication téléphonique n'eut pas été plus simple [7] »,
songe-t-il.

Cette scène, nous n'avons pas l'impression qu'elle se passe
dans le monde où nous vivons. Les gestes les plus ordinaires —
répondre à une question précise, concrète, indiquer ce qu'on
désire — paraissent exiger pour leur accomplissement un effort
de volonté disproportionné à leur apparente facilité. C'est que
pour Jean Cherteffe, habitant d'un univers intérieur, exclusif,
où le reste de l'humanité n'entre pas, les gestes de tous les
jours — parce qu'ils s'accomplissent hors de cet univers privi-
légié — exigent une longue préparation. Ils représentent une
aventure.

Un peu plus tard, comme on va fermer le cercueil, une
parente zélée s'avise que Jean devrait garder en souvenir le
chapelet du défunt. Le malheureux, qui pourrait si facilement
dire non, d'autant plus qu'il ne tient aucunement à se rappeler
son père, se laisse alors engager dans une action saugrenue,
dont il sent le premier le ridicule et l'inutilité, mais qu'il s'achar-
ne, par pure sottise, à poursuivre jusqu'au bout.

Cherteffe ne manque pas d'intelligence, mais dès qu'il se
trouve en compagnie, un effondrement se produit en lui, il perd
tous ses moyens, il se vide littéralement. Il se hait d'être ainsi
et, second mouvement, il hait les autres de le voir ainsi. Ses

---

[4] *Évadé de la nuit*, p. 10.
[5] *Ibid.*
[6] *Ibid.*
[7] *Ibid.*

colères, tous les gestes extérieurs de la révolte qu'il prodigue en toutes circonstances ne visent qu'un but : empêcher les gens d'avoir pitié de lui. Qu'on voie en lui un cynique, un détraqué, un maniaque, mais non un anormal qu'on pourrait plaindre.

Au fond, tout son être a soif d'amour et il accepterait celui-ci sous les formes les plus humbles, mais il faut à l'Autre traverser les protections érigées à grandes peines autour de son cœur. Et ces défenses n'ont qu'un but : éviter à tout prix que puissent s'établir entre lui et les êtres des relations de père à fils, qui sont sa hantise et qui l'aimantent impitoyablement.

Dans la plupart des êtres, Cherteffe croit discerner une volonté de domination, volonté qu'il associe à l'image du père. Or cette image « toujours cherchée dans la foule étrangère et jamais aperçue [8] » quand il était enfant, il la poursuit maintenant dans les gens pour la haïr et la torturer.

Après l'enterrement de son père, il se met à la recherche d'un être qu'il pourra dominer. Il découvre dans une taverne un individu d'une quarantaine d'années au regard fuyant. « Il était presque réconfortant [9] », pensait Cherteffe. Réconfortant, voilà le grand mot ! Pourquoi réconfortant ? Parce qu'il a le regard fuyant. Un homme qui baisse les yeux devant Jean Cherteffe, la belle proie ! Il va pouvoir le mettre au pas.

Avec un instinct infaillible, Cherteffe a choisi l'ivrogne idéal pour ce qu'il veut accomplir : un ivrogne qui a mis son enfant à l'orphelinat. Il a là, réuni dans l'homme qu'il va humilier, bafouer, écraser de son mépris, l'image de son père à l'âge où lui-même, Jean, grandissait dans un orphelinat.

Les sentiments de Cherteffe sont complexes. Il veut humilier sa victime, mais il veut simultanément rétablir l'équilibre perdu en lui-même ; il se fixe à cette fin d'arracher l'ivrogne à sa misère, de l'élever au-dessus de lui-même à force de volonté, d'en faire un père que son fils puisse un jour admirer. Il s'impose au malheureux Benoît, le réconcilie avec son enfant mou-

---

[8] *Évadé de la nuit*, p. 21.
[9] *Ibid.*, p. 42.

rant, mais comme il n'avait pas la charité, son œuvre se défait. Après la mort de l'enfant, Benoît se tue.

Au chevet du petit abandonné, Cherteffe a rencontré une jeune fille, Micheline, dont il s'éprend un peu malgré lui. Environné de cet amour, il prend conscience du mal qu'il peut faire, hésite, tente de fuir, mais ne réussit qu'à briser la personnalité de la jeune fille. Il tente alors de la rendre semblable à lui, pour la haïr, mais l'amour le tient en échec. Si Micheline ne mourait pas en couches, elle ne tarderait sans doute pas à subir le sort de Benoît.

Le héros d'*Évadé de la nuit* se sent emmuré dans un univers où l'on est comme au spectacle, c'est-à-dire impuissant à intervenir dans l'action. Ce qui est plus grave, on y est soi-même acteur. On voit se dérouler ses propres actions sans qu'il puisse être question d'y rien changer. « Les êtres, pense Jean Cherteffe, vivent parallèlement [10] » les uns aux autres. Ce parallélisme est particulièrement évident dans les relations du héros avec son frère Marcel, si différent de lui et dont il apprend la mort à la guerre.

L'amour peut donner l'illusion de combler l'abîme entre les êtres, mais ce n'est jamais qu'une illusion. Il n'y a donc de recours que dans la mort.

La haine de lui-même avait fait de Cherteffe un loup. Il fallait qu'il blesse, qu'il exaspère, qu'il détruise ou nie ; il ne lui restait que ces moyens de communiquer avec les êtres qui, pour son malheur, prenaient indéfiniment à ses yeux la figure du père.

---

[10] *Évadé de la nuit*, p. 104.

Roger Lemelin

Né à Québec en 1919, Roger Lemelin a vécu son enfance et sa jeunesse dans le quartier ouvrier de Saint-Sauveur. Il quitte l'école après une huitième année. Autodidacte opiniâtre, il entreprend une brève mais prolifique carrière de romancier. Il continue d'écrire à l'occasion pour la télévision.

Jusqu'à la publication de *Pierre le Magnifique,* Roger Lemelin était, à bon droit, classé parmi les écrivains satiriques. Observateur aigu, connaissant bien le caractère des petites gens qu'il mettait en scène, l'auteur d'*Au pied de la pente douce* animait, avec un sens de l'humour qui n'excluait pas, à l'occasion, une pointe de sentimentalité, des êtres typiquement québécois.

Rien ne paraissait sacré à cet écrivain non conformiste qui s'amusait le premier de ce que les timorés appelaient ses audaces.

Le romancier, qui poussait parfois le trait jusqu'à la caricature, se tenait volontiers avec ses personnages dans la cuisine. Il ne craignait pas de « tomber la veste » avec les Boucher ou les Plouffe, ni de prendre part à leurs jeux ; il s'aventurait rarement au delà de la cour. Mais dans ces deux retraites intimes, où les ouvriers se sentent le plus à l'aise, il soulevait tous les problèmes qui confrontent les Canadiens français. Religion, patriotisme, problèmes économiques ou politiques étaient abordés en bras de chemise.

Mais plutôt qu'un écrivain d'idée, Lemelin prétendait être, dans ses premiers livres, le peintre d'un milieu bien particulier. Ses personnages pittoresques, souvent même jusqu'au burlesque, étaient, au fond, des types. Le peuple se plut à reconnaître quelque chose de lui-même dans ces êtres simples, pitoyables ou doucement ridicules, comme cinquante ans plus tôt il avait cru se retrouver dans les paysans compassés et religieux des écrivains de l'époque.

Parmi ce petit monde en proie à l'ironie de l'auteur d'*Au pied de la pente douce,* un personnage notamment trouvait grâce : Denis Boucher. Adolescent ambitieux, qui s'évadera, un jour, nous le pressentons, de l'envoûtante atmosphère du quartier sans horizon, il réagit contre les conventions, intervient dans la destinée de ses compagnons, s'oppose sans cesse au milieu tout en le subissant. On retrouve Denis dans *les Plouffe,* qu'il relie par sa présence au premier roman, le voici maintenant dans *Pierre le Magnifique.*

Aucune trace d'humour ou d'ironie dans ce dernier ouvrage, où Lemelin, tournant le dos aux procédés qui ont fait sa fortune, tente de concilier les formules divergentes du roman picaresque, du scénario de cinéma et du roman d'analyse. Au roman picaresque, il emprunte les épisodes inventés pour justifier la description d'un milieu, comme la grève des bûcherons, la nuit passée dans une clinique de désintoxication, la bacchanale en compagnie de l'entrepreneur Willie Savard, le stage dans le cabinet du procureur général et le complot communiste contre l'Institut populaire du père Martel. Au scénario de cinéma s'apparentent le découpage en scènes brèves, le dialogue à tout prix, l'enchaînement tout artificiel des événements, les nombreux coups de théâtre et les invraisemblances ; enfin, du roman d'analyse, Pierre le Magnifique a surtout les allusions aux personnages de Balzac et de Stendhal, la constante préoccupation du héros de se camper dans des poses avantageuses, enfin, les amusantes apostrophes qu'il s'adresse comme : « Va, nouveau Rastignac, à toi Québec[1] », parodie transparente de l'« À nous deux maintenant » qu'à la fin du père Goriot, le vrai Rastignac lance à Paris, du haut du Père-Lachaise.

L'insistance de l'auteur à évoquer Rastignac — le « Va, nouveau Rastignac » revient à deux reprises — montre l'importance que Lemelin attache à ce rapprochement. Que ne citait-il à la place quelque cri de Rocambole, car c'est beaucoup plus les personnages de Ponson du Terrail que ceux de Balzac ou de Stendhal que Pierre Boisjoly nous rappelle !

La première page de *Pierre le Magnifique* nous montre Pierre Boisjoly se rendant au séminaire, où il va recevoir tous les premiers prix de sa promotion. Il monte la rue vieillotte aboutissant à l'institution. Du trottoir d'en face part une interjection : « Hé, le petit suisse ! [2] ». Pierre n'aime pas qu'on

---

[1] *Pierre le Magnifique,* pp. 59-188.
[2] *Ibid.,* p. 11.

l'appelle suisse. Il a dix-neuf ans. L'individu qui vient de l'inter-
peller en a trente et, en outre, il est costaud. Deux raisons pour
un futur prêtre de baisser les yeux et de poursuivre tranquille-
ment son chemin. Mais Pierre sent une griffe s'enfoncer dans sa
poitrine. Il traverse la chaussée et dit son fait à l'insulteur.

Denis Boucher — car c'était lui — ne s'offusque pas de se
faire ainsi rabrouer par un blanc-bec. Au contraire, touché par
l'attitude du jeune étudiant, il appelle à la porte sa maîtresse
pour lui montrer le « suisse ». Fernande paraît et Pierre en
oublie ses pères grecs et latins. Il est ensorcelé. Dès cet instant
fatidique, germe dans l'âme, jusque-là intacte de l'adolescent,
la funeste résolution de ne pas suivre sa vocation, de renoncer
à la prêtrise. Un phénomène à peu près aussi fulgurant s'est
opéré en même temps dans l'âme de Denis Boucher. Il sera désormais le protecteur du jeune garçon dont il ignorait tout il y
a un instant.

Mais Pierre a encore besoin d'un autre prétexte pour trahir
la confiance que l'abbé Loupret, qui défraie ses cours, a mise
en lui. À la distribution, à laquelle assistent Denis Boucher et
Fernande, Pierre, comme par hasard, occupe un strapontin voisin de celui de Mme Letellier, qui est la mère de son plus dange-
reux rival au collège et qui emploie Mme Boisjoly comme femme
de peine. Car ce pauvre Pierre, rançon de sa grande intelligence
et de ses autres dons exceptionnels — parmi lesquels il convient
de mentionner une magnifique voix de ténor — est issu du
légitime mariage d'un pompier ivrogne, fort heureusement décédé depuis longtemps, et d'une femme de peine.

Madame Letellier et son fils, snobs de la Grande-Allée,
essaient sur le jeune étudiant leurs pointes les plus acérées.
Yvon ne va-t-il pas pour humilier son condisciple jusqu'à an-
noncer faussement aux parents assemblés que Pierre, indisposé,
ne pourra pas chanter ? Consternation dans la salle académique ;
mais notre héros, n'écoutant que son courage, s'élance sur la
scène et proclame victorieusement : « Je me sens très bien, je
vais vous chanter *le Cor* [3]. » Tonnerre d'applaudissements.

---

[3] *Pierre le Magnifique*, p. 22.

Nouvelles injures des Letellier qui décident Pierre à renoncer à la soutane pour combattre « le monde méchant » sur son propre terrain. La première escarmouche ne tarde pas. Muni d'un billet de cinq dollars, que son vieux professeur lui a glissé dans la main pendant la distribution des prix, Pierre saute dans un taxi et se fait conduire à la maison des Letellier. Il y trouve sa pauvre mère que, par un raffinement de cruauté, Mme Letellier emploie le jour où Pierre triomphe au séminaire, et il lui annonce qu'elle ne servira pas un moment de plus dans cette maison. Après cet éclat, le jeune homme fait claquer la porte principale pendant que Mme Boisjoly va recueillir ses nippes et vient le rejoindre, abasourdie, par la porte de service.

Pierre se rend ensuite chez son bienfaiteur à qui il annonce son intention de ne pas se faire prêtre, puis du même élan chez Denis Boucher où, entre autres confidences, il révèle que Mme Letellier garde un millier de dollars en billets dans sa chambre.

Cette révélation, comme diraient les maîtres de Roger Lemelin, n'est pas tombée dans l'oreille d'un sourd. Denis a une idée. Laissant son nouvel ami avec Fernande sous prétexte d'aller réfléchir au grand air, il conçoit le plan de voler cet argent et de le faire servir à défrayer les études de son protégé. Mais Pierre a deviné son intention et il se met à sa poursuite.

Les deux taxis, après une course folle, s'arrêtent presque en même temps devant la maison des Letellier. Pierre tente par tous les moyens de détourner son aîné de mettre son idée à exécution, mais rien n'y fait. Il le suit alors dans la maison et, luttant toujours avec lui, heurte une ombre qui s'était glissée dans la chambre. Cette ombre, c'était la vieille mère de Mme Letellier. Le coup l'a tuée.

Tel est le résumé de la première partie de *Pierre le Magnifique* qui se déroule en moins de vingt-quatre heures. Tous ces personnages, et nombre d'autres, reparaissent dans la deuxième partie, où se multiplient les crimes, les complots, les coups de théâtre qui tiennent dans ce roman la place des idées, des sentiments, de l'esprit. À un moment, l'auteur s'écrie naïvement : « Tout se passait, s'enchaînait, comme si Quelqu'un eût arrangé d'avance les péripéties [4]. » Il n'y a qu'un mot à chicaner dans cette phrase, le mot d'avance, car trop souvent l'arrangement paraît improvisé.

Il est assez difficile de reconnaître dans *Pierre le Magnifique* l'auteur d'*Au pied de la pente douce* et des *Plouffe*. Dans ces premiers ouvrages, le jeune écrivain déboulonnait de fausses idoles. En un monde où la littérature, encore jeune, avait longtemps souffert de conformisme, il apportait un élément nouveau : le comique. Son esprit frondeur empêchait de voir qu'il ne posait pas de question, que ses personnages n'avaient pas de mystère.

Cette faiblesse apparaît cruellement dans *Pierre le Magnifique*. Le monde qui y est décrit se révèle sans opacité, sans intériorité et surtout, sans poésie.

---

[4] *Pierre le Magnifique*, p. 149.

Clément Lockquell

Né à Québec en 1908, Clément Lockquell fait ses études à l'Académie de Québec et entre au Noviciat des Frères des Écoles chrétiennes. Bachelier ès arts et ès pédagogie de l'Université de Montréal, maître ès arts en pédagogie de l'université Laval, il enseigne aux facultés d'Éducation, de Sciences sociales et de Philosophie. Il occupe pendant huit ans le poste de doyen de la faculté des Sciences de l'Administration de l'université Laval. Membre du Conseil des Arts du Québec et de plusieurs sociétés savantes, il collabore au Soleil *de 1961 à 1968, à titre de critique littéraire, à la* Revue de l'université Laval, *à* Culture, Livres *et* Auteurs québécois... *Il est actuellement professeur au département des Littératures de l'université Laval.*

L E premier roman de Clément Lockquell, *les Élus que vous êtes,* œuvre sévère et forte, d'une grande limpidité d'écriture, aborde un sujet qui n'a pas souvent tenté les romanciers : le monde des communautés religieuses enseignantes.

Rédigé à la première personne, sous la forme d'un journal entendu au sens large, cet ouvrage décrit les tribulations d'un jeune religieux intelligent et dévoué, sa vie en communauté, ses expériences humaines, ses luttes en faveur de réformes, notamment dans l'enseignement et l'application des règles de discipline, le triomphe de quelques-unes de ses idées et, enfin, sa vieillesse un peu désabusée.

Sous le couvert de la fiction, l'auteur expose certaines théories, mais ce sont moins ses idées qui retiennent le lecteur que les expériences intimes de son héros, les sentiments que suscitent en lui les difficultés, les déboires, les revers d'une tâche particulièrement ingrate, son attitude à l'égard du monde, connu à travers les mères de certains élèves, son courage au conseil de la communauté, enfin, sa charité à l'égard de confrères que l'homme de lettres habitué à l'analyse ne peut s'empêcher parfois de juger cruellement.

Au début du récit, le frère Bernard — c'est le nom du « je » qui relate ses expériences — vient, aux obédiences, d'être nommé professeur au collège chic de sa congrégation, à Granville. Il se trouvait heureux à Saint-Valère, où il ne comptait que des amis et cette mutation ne lui plaît pas. Jusqu'ici, ses supérieurs avaient respecté son désir de confiner son enseignement aux enfants des classes populaires. Ne pourrait-on, en s'arrêtant un moment, déceler de l'orgueil dans ce vœu supplémentaire de n'enseigner qu'aux pauvres ? Y voir un souci de se distinguer, une coquetterie de bachelier ès arts et en pédagogie, qui ayant renoncé aux grandes scènes où il pourrait facilement briller, affecte de rechercher les places les plus obscures ? Psychologue, le frère Bernard ne redoute-t-il pas par-dessus tout la confrontation avec ces fils de grands bourgeois qui, à l'instar des nobles de l'Ancien Régime, ravalent leurs instituteurs, par le déploiement de fortunes insolentes, à un rang à peine supérieur à celui de la domesticité ?

Mais une fois à Granville, il ne tarde pas à trouver un moyen de se venger de ces parvenus, en succombant, comme il le confesse volontiers, « à des tentations d'injustice[1] » au profit des enfants moins fortunés, à qui vont naturellement ses complaisances. « Je crois bien, avoue-t-il, que je distribuais plutôt parcimonieusement les notes sur les copies des bien nantis[2], » Cela est bien humain, reconnaissons-le, au même titre que l'orgueil et le vœu supplémentaire. La conquête de toutes ces imperfections n'en rendra que plus glorieuse la transformation de notre héros. Car le roman devrait faire assister à cette transformation.

Voici donc le frère Bernard au moment de quitter l'école Saint-Valère. Il avoue son inquiétude à son ami, le frère Paul : « À Champlain, dit-il, je serai forcé de consentir à ma vanité foncière. Quand je me serai repu de faciles succès, je regretterai que mes talents ne puissent pas s'étaler avec plus d'apparat. Ce n'est pas tellement Champlain que je redoute : c'est moi, ballotté par les occasions qu'il me fournira d'exaspérer ma suffisance de demi-lettré et mon penchant à la censure [3]. »

Il faudrait un Brémond pour analyser, comme ils le méritent, des textes comme celui-là, qui abondent dans *les Élus que vous êtes*. Comme en parlant d'orgueil, le bon frère Bernard prend naturellement le ton de l'homme qui va y succomber — il voit déjà selon quelle gradation — que dis-je, qui y succombe déjà en pensée, mais inconsciemment. Tel est l'art du romancier qu'il nous fournit sur les mouvements de l'âme de son personnage des éclaircissements qui échappent entièrement à celui-ci.

---

[1] *Les Élus que vous êtes*, p. 64.
[2] *Ibid.*
[3] *Ibid.*, pp. 14-15.

Le frère Bernard se rend donc, contre sa volonté et les prémonitions de sa conscience, au collège Champlain. Pour son malheur, il arrive le soir dans la grande maison où personne ne l'attendait avant le lendemain. Il ne trouve qu'un vaste désert. Les Frères, profitant d'un congé, sont allés souper à la maison de campagne. Déçu et misérable, le frère Bernard s'installe par erreur dans un réduit délabré et sale, qu'il prend pour la chambre que le portier lui a désignée, et il passe la nuit dans un état de découragement voisin du désespoir. Le lendemain, on le retire de ce bas-lieu et on le conduit dans la chambre confortable qui lui avait été préparée. La vie prend une autre couleur.

Le jour même, au réfectoire, c'est la découverte de ses nouveaux confrères dont il trace de rapides crayons dans son journal : « Au repas du midi, écrit-il, mon obligeant voisin me servit de guide dans ma première identification des figures qui m'étaient encore inconnues. Celui qu'il me désigna comme le frère Conrad, le professeur de philosophie, s'absorbait dans un livre appuyé sur le sucrier. Il mangeait d'une façon distraite, se servant exclusivement de sa main droite et tâtonnant à l'aveuglette pour atteindre son verre qu'il portait fréquemment à sa bouche. Il avait l'air excédé de devoir opérer simultanément sa lecture et son repas... [4] »

« Faisant tache sur la table des professeurs de sciences, le frère Julien, titulaire de physique, étalait sa masse rondouillarde. Bien calé sur sa chaise, il se confectionnait des bouillies de légumes et de sauce aux tomates, hautes en couleur mais peu apéritives pour ses voisins. Il mangeait à la cuiller et semblait se récréer au bruit flasque que faisait la succion de l'instrument s'enfonçant dans le marécage de la purée [5] [...] » « Le frère Abel, professeur de sciences naturelles, le visage austère, souffrait d'être obligé de prendre du vin [6]... le frère Régis, professeur de mathématiques (brassait) d'invraisemblables salades de laitue dont il n'offrait rien à personne [7]. »

---

[4] *Les Élus que vous êtes*, p. 36.
[5] *Ibid.*, p. 37.
[6] *Ibid.*, p. 38.
[7] *Ibid.*, p. 39.

Ces portraits, dans leur cruelle perfection, trahissent un homme qui souffre, n'en doutons pas. Il va souffrir encore plus bientôt. En effet, le temps de ses vœux temporaires écoulé, le conseil, jugeant le jeune religieux trop peu détaché de lui-même, « plus enclin, selon les mots du Supérieur, à la littérature qu'à la vie spirituelle, plus disposé à la critique qu'à l'obéissance [8] », lui impose un triennat supplémentaire avant l'engagement définitif.

Comment le frère Bernard va-t-il réagir à cette humiliation ? Il a d'abord un sursaut d'orgueil. Il voit même dans ce refus une invitation providentielle à retourner au siècle. Mais son hésitation dure peu. Il choisit de rester et un drame nouveau s'amorce.

L'auteur des *Élus que vous êtes* nous révèle les préoccupations intellectuelles, les préoccupations morales de son personnage, mais il n'entre pas dans son plan de nous dévoiler sa vie spirituelle. Quelquefois, le frère Bernard analyse ses sentiments, comme dans le chapitre intitulé « Le Mauvais Triomphe [9] », où à l'occasion de la défection d'un religieux qu'on donnait comme modèle à la communauté et qui s'est laissé séduire par l'Ève éternelle, il se sent tiraillé, dit-il, « entre une mauvaise et secrète joie — joie qui fait encore ma honte — et une appréhension mortelle de ma propre fragilité [10] ». De tels coups de sonde sont trop rares pour nous permettre de suivre les progrès spirituels du héros.

Cependant, le roman de Clément Lockquell appartient à ce petit nombre d'ouvrages romanesques, où l'on rencontre des préoccupations surnaturelles, où l'enjeu de la vie n'est pas uniquement l'amour humain, la fortune, la gloire ou le triomphe d'une idée, mais une réalité intemporelle en regard de laquelle tout le reste n'est que paille.

---

[8] *Les Élus que vous êtes,* p. 82.
[9] *Ibid.,* p. 165.
[10] *Ibid.*

Philippe Panneton

Né aux Trois-Rivières en 1895, Philippe Panneton (Ringuet) étudie dans divers collèges et s'inscrit à la faculté de Médecine de l'université Laval en 1914. Il poursuit ses études médicales à Montréal et à Paris. Il exerce sa profession à Montréal, Joliette et Trois-Rivières entre 1920 et 1939. Son goût pour les voyages l'amène à visiter le Maroc, les Antilles, le Mexique, l'Océanie et plusieurs pays d'Europe. Tour à tour lauréat du prix David en 1935, de l'Académie française en 1939 et en 1947, de la Province de Québec en 1940 et du Gouverneur général du Canada en 1941, Ringuet mérite son titre de membre-fondateur de l'Académie canadienne-française dont il est le président de 1947 à 1953. Prix Duvernay en 1955, il participe à une série de causeries radiophoniques jusqu'à sa nomination au poste d'ambassadeur du Canada au Portugal en 1956. Il meurt à Lisbonne en 1960.

L E problème du romancier chez Ringuet porte uniquement, semble-t-il, sur la représentation de la vie. Un roman est avant tout pour lui un problème de langage. L'auteur de *Trente Arpents* n'appartient pas, en effet, à cette catégorie d'écrivains qui ont l'ambition de transformer le monde par de nouvelles doctrines ou qui croient apporter sur l'homme des lumières insoupçonnées avant eux. Si tout romancier possède une philosophie de la vie, une conception particulière de l'homme, cette philosophie, cette conception ne se font pas jour dans les grands romans de Ringuet. Elles compromettraient d'ailleurs probablement l'équilibre qui y règne et qui n'est pas l'un de leurs moindres charmes.

Cette absence de grandes idées dans des œuvres qui se proposent de peindre des milieux sociaux définis, ne fait que plus clairement ressortir la rigueur d'un art fondé sur le concret, l'humain, le rationnel. Ringuet est un observateur intelligent, méticuleux, patient, à qui son incomparable maîtrise de la langue permet de tout exprimer.

Mais ce qui lui importe surtout, c'est d'exprimer le visible, le concret, le sensible. D'autres romanciers placent le personnage — un personnage qu'ils veulent de plus en plus autonome — au-dessus de tout ; pour Ringuet, un roman reste une reconstitution artistique, exacte dans ses moindres détails, de ce déroulement d'événements, d'actions et de réactions, de bonheur et de désastres qu'on appelle une vie bien remplie. C'est donc un peu en historien que l'auteur de *Trente Arpents* traite la matière romanesque et c'est de l'extérieur qu'il crée ses personnages, s'opposant ainsi, du moins par sa méthode, à ceux qui voient dans le romancier une sorte de singe de Dieu, sondant les reins et les cœurs de ses créatures, et auquel rien ne reste caché que ces obscurs replis de la conscience qu'il se fait un scrupule de violer.

La relation de Ringuet à ses héros n'est pas du tout celle d'un père, et on sent bien qu'il n'éprouve pas pour les êtres issus de son imagination cette profonde affection qui fait qu'un romancier souffre avec ses personnages des revers et des injustices qu'ils subissent et jusque dans le péché et dans le crime reste à leur côté, compréhensif et fraternel. Mais c'est là une question de point de vue. Quelles sont les conséquences de la méthode de Ringuet ? La première, c'est la longueur démesurée des romans. L'homme, conçu de l'extérieur, ne livre pas facilement son secret. Il faut le suivre durant une longue période de temps, parfois de l'âge de raison jusqu'à la mort : *Trente Arpents* et *le Poids du Jour* sont des récits de vies entières.

La seconde de ces conséquences, c'est l'objectivité, l'inengagement de Ringuet dans ses personnages. La théorie selon laquelle un romancier refait sans cesse les mêmes êtres ne s'applique pas ici. Et il n'existe probablement pas d'autre exemple dans la littérature canadienne de personnages aussi différents qu'Euchariste Moisan et Robert-M. Garneau issus d'un même auteur, de milieux aussi opposés que ceux de ces deux hommes décrits avec autant de vérité et de vie qu'ils l'ont été par Ringuet.

Les héros de *Trente Arpents* et du *Poids du Jour* possèdent quelques traits en commun, mais ces traits ne sont pas de ceux qui les individualisent ; ils relèvent d'une sorte de philosophie inhérente à la conception que le romancier se fait de la vie et qui, en dépit de ses efforts, ne peut rester complètement absente de son œuvre.

Le premier de ces traits communs, c'est la solitude de ces personnages ; le second, leur inaptitude au bonheur. Ce sont là, en quelque sorte, comme des thèmes secondaires des deux romans. Euchariste Moisan, le héros de *Trente Arpents* et Robert Garneau ne connaissent à aucun moment le bonheur ; ils ne se font même pas une idée exacte de ce qu'ils attendent de la vie. Cela s'expliquerait assez facilement dans le cas de Moisan, orphelin forcé trop tôt d'assumer des responsabilités d'homme, mais c'est surtout chez Garneau, plus intelligent et mieux favorisé des circonstances, que cette déficience, cette inaptitude est le plus sensible.

D'autre part, ces deux personnages sont en tout des hommes moyens ; ils n'ont ni l'un ni l'autre de passions profondes, ni même l'illusion d'une de ces passions. En un mot, ce qui leur manque le plus cruellement, c'est la grandeur dans le bien ou dans le mal, c'est une vertu ou un vice magnifié, porté à un degré, sinon héroïque, du moins éminent, ou encore un engagement, un acte total qui les sauverait d'eux-mêmes. Mais l'auteur n'a voulu rien de tel.

Eucharistie Moisan a rempli sa destinée. Même trahi par ses aînés, volé par le notaire, qui lève le pied avec toutes ses économies, il peut cependant se flatter d'avoir donné un prêtre et deux religieuses à l'Église et surtout d'avoir conservé intacts et transmis aux siens les trente arpents reçus en héritage de l'oncle Éphrem. Mais Robert-M. Garneau ? Qu'a-t-il fait de lui-même ? Certes, il a amassé une petite fortune, mais est-ce là la véritable mesure de sa destinée ?

À vingt ans, brusquement, Michel Garneau apprend qu'il est un enfant illégitime. Cette découverte le laisse un moment désespéré. Il a le sentiment qu'on vient de l'amputer de son enfance. Il rejette donc de lui d'un seul coup tout son passé, allant même pour consommer plus complètement la rupture jusqu'à changer son prénom de Michel en celui de Robert-M. Pendant des années, la seule mention du nom de sa ville natale lui fait monter le rouge au front.

Ce sentiment de honte va devenir le ressort de toutes les actions du jeune homme. Parce qu'il a été humilié, il se jure de devenir riche, de dominer tous ces gens qui le méprisent. Et tout d'abord, il se donne le caractère du financier qu'il rêve d'être un jour. Il se fait dur. Sa mère est morte, il va la tuer de nouveau dans son cœur ; son parrain a besoin de lui, il se dérobe et entraîne peut-être par sa défection la ruine du malheureux. Il se montre impitoyable à l'égard de tous ceux qui dépendent de lui, et c'est une profonde psychologie qui nous le montre congédiant une jeune employée qui avait eu la maladresse de parler devant lui de sa générosité.

La première partie du *Poids du Jour* n'est point la plus forte, mais elle est la plus attachante du livre. Les portraits de la mère, insouciante et frivole, du serre-frein ivrogne et brutal, du prêteur de petite ville et de tant d'autres gens qui gravitent autour de Michel Garneau sont peints avec une sympathie qu'on ne retrouvera plus dans les croquis subséquents du romancier. Ici le réaliste cède parfois la main à l'homme, l'intelligence, un moment distraite, se laisse guider par le cœur, et Ringuet vient bien près de manquer à la grande règle de son art qui est de rester toujours extérieur à son sujet.

Robert-M. Garneau s'était fixé l'âge de quarante-cinq ans pour être riche et goûter le bonheur. Mais dans une vie comme la sienne, où il ne pouvait y avoir de place que pour le plaisir, ces mots ne signifiaient pas grand'chose. Garneau n'a point connu l'amour. Les enfants trop longtemps attachés à leur mère le connaissent rarement. Pourtant, il s'est marié, il a eu des enfants ; il a souffert par eux. Hortense, sa femme, est morte et c'est dans le souvenir du sentiment qu'elle lui inspirait qu'il peut retrouver quelque chose qui, à distance, ressemble au bonheur.

Outre ses deux grands romans, Ringuet a publié une longue nouvelle presque entièrement consacrée à la description d'une nuit d'amour dans les Laurentides et, paradoxalement, il a intitulé ce livre *Fausse Monnaie*.

Fausse Monnaie, il semble bien que c'est ainsi que l'amour est apparu à presque tous les personnages de Ringuet. L'amour ne joue dans cette œuvre qu'un rôle d'arrière-plan : sentiment obscur, éphémère, qui ne survit pas au mariage... C'est sans doute ce qui donne aux figures de ces romans ce quelque chose de tragique qui les apparente aux plus grandes...

Jean-Jules Richard

Né en 1911 à Saint-Raphaël de Bellechasse, Jean-Jules Richard, dans les années 30, collabore à divers journaux et revues où il signe quantité de poèmes, de contes et d'articles sur la poésie contemporaine. En 1939, il s'enrôle comme volontaire dans l'armée et est envoyé au front. Démobilisé en 1946, il signe son premier roman. C'est le début d'une carrière littéraire interrompue de longs silences. Faites leur boire le fleuve lui vaut le prix Jean-Béraud en 1970.

L E roman de Jean-Jules Richard relate une année de guerre. *Neuf Jours de haine,* en effet, commence le 6 juin 1944, jour du débarquement des armées canadiennes sur les côtes de Normandie, et se termine un an plus tard, le 6 juin 1945. Tout le livre, de la première à la dernière page est écrit au présent et donne l'impression d'avoir été rédigé sous la mitraille. C'est un témoignage de soldat qui préserve les sensations, les gestes, les pensées d'une dizaine d'hommes sous le feu et qui décrit leur comportement dans les combats aussi bien qu'au repos entre les engagements.

Il n'y a pas de héros dans ce livre, car la guerre moderne est une affaire d'équipe, une aventure collective. Suivons donc la compagnie *C,* qui représente en quelque sorte un microcosme de la nation canadienne. Voici d'abord Frisé, Irlandais mâtiné de Français, originaire du Plateau du Niagara ; le caporal Martedale, étudiant en génie, descendant de Puritains des Provinces Maritimes ; Noiraud, fils d'émigrés ukrainiens, impétueux, infatigable et indiscipliné. Il vient du versant des Rocheuses. Robert Nanger, étudiant de Québec ; le sergent-major McDeen, commis-voyageur dans le civil, musclé comme un lutteur : Sade, artiste peintre, né aux États-Unis ; le major Donshire, homme d'affaires de Toronto ; Prairie Miller, qui comme son nom l'indique est originaire des plaines de l'Ouest et de descendance allemande ; Kouska, le politicien du groupe, et le lieutenant Lernel. Le frère de Frisé, Paul, et un jeune Canadien français, Jean Manier, viennent plus tard se joindre au groupe initial pour combler les vides creusés par la mitraille.

Chacun de ces personnages nous est peint par une image simple, un caractère physique, ce que les Anciens appelaient une épithète de nature. Le major, c'est le nez. Nous le voyons qui renifle de son nez aquilin, « posé dans sa face comme un

postiche [1] ! ». Plus loin, il semble rajuster son nez. S'il crie, le
narrateur nous dit que son nez postiche manque de tomber. Et
ailleurs : « Le major semble saisir son visage par l'anse [2] » ou
« Il semble avoir enlevé son nez [3] ».

Chez Frisé, les hanches sont remarquables et l'auteur ne
nous laisse pas oublier l'ondulation, « le jeu sensuel [4] » de ses
hanches. Cette insistance sur un caractère physique, rappelé
chaque fois que le personnage occupe la scène, tourne à l'obsession. Noiraud a les jambes arquées. Il a toujours l'air d'enfour-
cher des pyramides. Lernel a une voix de grenouille...

Ces hommes, qui vont s'égailler au fur et à mesure de l'a-
vance, ont tous un état civil, mais ils n'ont pas de passé, ils sont
sans attache en dehors du camp. Ils ne connaissent ni sentiment,
ni passion, même pas celle de combattre. La pitié leur est aussi
étrangère que l'amour ou la haine. La nécessité d'agir et de
survivre a suspendu en eux tout ce qui n'est pas réaction de
défense ou impulsion agressive. L'intelligence, l'imagination, la
mémoire se réduisent dans leur vie à ce qu'elles pouvaient être
chez l'homme primitif. Pour eux, les valeurs humaines sont
toutes empiriques ; l'esprit d'équipe, la discipline, la camarade-
rie. Ces valeurs n'ont aucune répercussion sur l'âme, aucun
prolongement spirituel.

Engagés dans une aventure qui les dépasse et qu'ils désignent sous le nom de « cinquième dimension [5] », les hommes de la
compagnie *C* ne savent à peu près rien de l'Europe, si ce n'est
qu'elle souffre d'un mal séculaire : la guerre, et qu'ils sont venus
l'en guérir. Ils englobent sous la même expression méprisante de
« mal d'Europe[6] » les arts, l'histoire, les philosophies et les
modes de vie de ceux qu'ils sont venus libérer comme de ceux
qu'ils délogent. Ce mal, ils ne tiennent pas à le connaître trop
profondément ; ils veulent seulement s'en préserver, comme de

---

[1] *Neuf Jours de haine*, p. 16.
[2] *Ibid.*, p. 37.
[3] *Ibid.*, p. 81.
[4] *Ibid.*, p. 109.
[5] *Ibid.*, p. 71.
[6] *Ibid.*

cet autre mal, la mort, qui les guette à chaque tournant de la route.

Des Européens, dans les pays libérés, apprenant qu'ils sont Canadiens, leur demandent : « Que venez-vous faire ici ? Nous ne vous reprochons rien [7]. » Ils ne savent que répondre. Au début, peut-être le savaient-ils vaguement, mais ils l'ont oublié. Ils ne veulent plus voir dans la guerre qu'un travail périlleux, sordide parfois, une tâche qu'il faut se hâter d'accomplir pour hâter le moment de rentrer au pays.

Le risque, la mort frôlée à tout instant établissent entre les membres de la compagnie C une sorte de solidarité, basée sur l'estime réciproque, et comme telle, extrêmement précaire. Sentiment qui ne ressemble en rien à l'amitié. Ainsi, Frisé et Noiraud s'entendent bien. Leurs qualités se complètent et ils ont l'impression que, quand ils sont côte à côte, rien ne peut leur arriver. Maintes fois, ils se sont aidés dans des circonstances difficiles. Mais, après la mort de son frère, volatilisé à son côté par l'explosion d'un obus, Frisé souffre d'un choc nerveux. Il est accusé d'avoir déserté son poste sous le feu. Une cour martiale l'acquitte, mais à son retour dans la compagnie Noiraud le traite avec circonspection ; il l'évite. Il ne lui rend sa confiance que le jour où l'Irlandais a de nouveau fait preuve de son courage d'une façon indiscutable. Plus tard, Frisé, devenu sous-officier, trahit Noiraud, accusé de fraternisation avec l'ennemi, et contribue par son attitude à le faire condamner à deux ans de travaux forcés. La loi de la cinquième dimension est cruelle : chacun pour soi.

Il manque quelque chose d'essentiel à ces personnages : une âme. Ce mot, nous le verrons, ne fait pas partie du vocabulaire de Jean-Jules Richard.

D'ordinaire, les romanciers prennent des moments du temps pour en faire de la durée, c'est-à-dire la substance de l'art. Richard choisit la méthode opposée, celle de la description instantanée, sans référence à un ordre supérieur. Prenons, par exemple, la scène du débarquement, l'une des plus denses et à la fois

[7] *Neuf Jours de haine*, p. 115.

des plus animées du roman. La chronologie et l'image y sont tout.

La durée appartient à l'ordre de l'esprit ; le temps à celui du corps. Par la durée, l'artiste recrée la vie, non à partir de la pure succession, mais en inventant un rythme analogue à celui de la réalité et qui rend compte de celle-ci sur le plan de l'art. Au contraire, le procédé de Richard ne retient que la succession ; il ne va pas au delà des apparences.

Dans *Neuf Jours de haine,* le temps s'écoule dans un perpétuel présent. Nous restons sur le plan de la sensation, parce que les sentiments, les passions qui devraient être le couronnement des sensations à chaque moment éprouvées, exigent pour se cristalliser un retour sur le passé, une transmutation qui ne peut s'opérer dans le pur présent et que la méthode de notre romancier-soldat exclut la possibilité de ce retour. Pour la même raison, le roman ne contient pas d'idées générales ; celles-ci risqueraient de faire pénétrer la durée dans la trame des minutes, une à une identifiées, une à une remplies à craquer de sensations d'images, d'événements.

Et cette instantanéité pouvait seule rendre la personnalité de ces hommes de la compagnie *C,* les Frisé, les Noiraud, notamment, qui refusent de penser leur vie, comme de reconnaître toute valeur qui ne tombe pas sous les sens. Voyez comme Lernel leur devient suspect, comme ils le méprisent parce qu'on l'a vu, lui, un officier, prier avant un assaut. Il a osé introduire l'infini dans leur petit univers matériel. On ne le lui pardonnera pas.

Les êtres qui traversent *Neuf Jours de haine* sont de la même étoffe que les événements ; ils sont tissés de la substance même du temps. On peut analyser, disséquer leurs mouvements, leurs sensations ; ils se réduisent à leurs fonctions. Leur unité est physique ; elle ne diffère pas de l'organisation matérielle de leur corps. C'est pourquoi le roman pourrait se prolonger indéfiniment sans que ça produise en eux le moindre changement. Ils sont à l'épreuve d'un engagement essentiel.

Paul, pulvérisé par un obus, flotte sous forme de buée au-dessus du champ de bataille, incapable de mourir parce qu'il aurait besoin de son corps dispersé aux quatre vents pour réaliser sa mort. Il subsiste ensuite sous forme d'ectoplasme pendant quarante jours et hante la couche de son frère Frisé, que ce phénomène conduit au bord de la folie ; puis, ayant épuisé son énergie, il se résorbe dans le néant. Telle est la conception que l'auteur est amené, par sa méthode, à se faire du spirituel.

Jean-Jules Richard, parti de la pure sensation et de l'image concrète, niant toute vie spirituelle, ne possède comme romancier aucun moyen de réintégrer la durée, c'est-à-dire l'art dans l'action. Il ne lui reste que la prolifération du présent, l'épanouissement végétatif du contenu de l'instant et, parallèlement, l'image. Avec ces moyens et dans ces limites, *Neuf Jours de haine* représente une indiscutable conquête d'un secteur du temps.

Peu d'ouvrages canadiens possèdent, au même degré, le caractère de nécessité qui distingue ce roman. Richard n'a pas choisi son sujet, ni ses personnages ; ils se sont imposés à lui, physiquement d'abord, puis moralement. Ici, le mot de Gœthe prend tout son sens : « Poésie, c'est délivrance. » Richard se libère de la guerre.

Le style de *Neuf Jours de haine* est, presque partout, celui de notes télégraphiques, de mots clés, de raccourcis qu'on jette sur le papier pour se débarrasser d'une image qui s'est emparée de l'esprit et le ramène sans cesse dans les mêmes ornières. On y reviendra à loisir et on élucidera sa pensée plus tard.

Mais le moment venu on ne réussit plus à reconstituer l'atmosphère ; la tâche de rétablir les mondes évoqués par ces notes paraît surhumaine. D'ailleurs, rien ne remplace le témoignage de cette vérité saisie sur le vif et servie ainsi crue.

Les soldats comptent peu dans *Neuf Jours de haine*. Rien ne les distingue plus dans le souvenir du romancier des événements auxquels ils ont été mêlés. Seule importe l'aventure et sa chronologie exacte, minutieuse, puisque seul le présent existe et que la guerre, déjà, c'est le passé.

Robert de Roquebrune

*Issu de l'ancienne aristocratie canadienne-française,
Robert Laroque de Roquebrune est né à l'Assomp-
tion en 1899. Après des études au Mont-Saint-Louis,
à la Sorbonne et au Collège de France, il fonde
avec quelques amis le périodique d'avant-garde,
le* Nigog, *qui eut une vie bien éphémère. D'abord
employé puis directeur des Archives canadiennes à
Paris, il collabore à certains journaux québécois
dont* le Canada.

Robert de Roquebrune est surtout connu chez nous par son premier roman, *les Habits rouges,* et justement, semble-t-il, des trois récits qu'il a composés pour faire connaître notre pays en France, c'est sans doute celui qui, par l'ampleur du sujet, l'économie du plan, le jeu des péripéties présente encore aujourd'hui le plus grand intérêt.

Les Habits rouges prétendent raconter l'un des événements les plus discutés de notre histoire, la Rébellion de 1837. L'ouvrage fourmille de personnages historiques et si, du côté français, l'intrigue a pour centre un être créé de toutes pièces, Henriette de Thavenet, aimée du lieutenant anglais Fenwick, dans l'autre camp, par contre, c'est la propre fille du général Colborne qui joue ce rôle. Comme il se doit dans ce genre de roman, la jeune Anglaise est amoureuse d'un gentilhomme canadien, le lieutenant Armontgorry.

Papineau, Chénier, Nelson, le gouverneur Gosford et, il va sans dire, Colborne, interviennent dans le récit, discutent entre eux avec, ma foi, beaucoup de vraisemblance. Mais si vrais que nous paraissent leurs discours, leurs idées restent stéréotypées, comme leurs attitudes gardent, en dépit de l'ingéniosité du romancier, quelque chose de l'immobilité des photographies. Comment d'ailleurs le lecteur se sentirait-il de plain-pied avec de tels héros ?

On connaît l'intrigue des *Habits rouges.* Elle se résume, en dehors de la dramatisation des événements politiques et militaires connus de tous, à l'aventure de quelques êtres imaginaires entraînés dans ce tourbillon.

Mademoiselle de Thavenet, qui est reçue dans la meilleure société anglaise et qui compte parmi ses intimes Lilian Colborne, a fait le coup de feu avec les patriotes à Saint-Charles, où elle a,

de sa main, exécuté le traître Brown. Son frère, Jérôme, est
capturé à ses côtés, les armes à la main. Un officier anglais,
qui éprouve à l'égard de la jeune fille la plus vive admiration,
lui signe un sauf-conduit que Colborne respecte. Le Vieux
Brûlot, en effet, par amitié pour la famille de Thavenet, ou
peut-être par intérêt, feint de croire que la jeune fille se trouvait
au milieu des insurgés à titre d'infirmière. En dépit de cela, la
vie d'Henriette est brisée. Son fiancé, Fenwick, a été tué sous
ses yeux en montant à l'assaut de la maison de ferme qu'elle
défendait avec son frère et le notaire Cormier. Et Jérôme est
condamné à la déportation.

Le succès de ce premier roman, qui eut plus de vingt-cinq
éditions, incite sans doute Robert de Roquebrune à demander
à l'histoire le sujet de son second ouvrage. Après les troubles
de 1837, il s'attaque à un nouveau soulèvement, celui des Métis
du Manitoba, sous Louis Riel.

D'un océan à l'autre débute à Québec, se poursuit au Manitoba et se termine aux confins de la Saskatchewan, où l'héroïne
avait été amenée en captivité par les Cris. Les nombreux chan-
gements de décor, la rapidité des épisodes, l'étrangeté des péripéties, l'absence d'analyse suggèrent l'idée de film. L'auteur
nous révèle dans son avant-propos que c'est bien ce qu'il se
proposait.

Comme l'on pense bien, l'histoire sert surtout ici de décor.
Nous trouvons dans *D'un océan à l'autre,* une intrigue de roman
d'aventure sur un fond historique, à la différence des *Habits
rouges,* où l'action historique et l'intrigue coïncidaient.

La composition des personnages se ressent de cette volonté
de l'auteur de traiter son sujet selon la technique du cinéma.
Les caractères sont peu poussés. Pourtant, ayant renoncé à
donner à des personnages historiques un rôle de premier plan,
l'auteur aurait dû se sentir plus libre de créer des personnages
autonomes, de nous révéler leurs pensées, leurs sentiments, en
un mot, de les animer d'une vie plus individuelle, plus intime,
plus profonde que celle qu'on peut donner à des êtres dont
l'histoire a fixé les traits et la vie.

Mais un deuxième but, étranger au roman, celui de démontrer aux Français que les Canadiens ne sont ni des Métis, ni des Sauvages, empêche l'épanouissement de l'affabulation comme des caractères.

Pour rendre sensible à son lecteur l'immensité du Canada et le contraste des mœurs d'une province à l'autre, le romancier nous conduit d'abord à Québec, où il nous introduit dans la maison de M. Augustin Ménard, vieux bourgeois à l'aise, passionné d'ethnologie et de folklore indien. Cet intérêt de M. Ménard pour la civilisation indienne va nous entraîner au Manitoba, à la poursuite d'un Indien cri, authentique adorateur du Soleil. L'ethnologue a un neveu, Jacques, béjaune de quinze ans, qui écrit des vers et rêve d'aller vivre à Paris. Il suivra son oncle dans l'Ouest.

Après un long et pénible voyage, accompli en luges traînées par des chiens, les Ménard arrivent à Fort Gerry, à la veille du premier soulèvement des Métis. M. Ménard, au double titre d'ami des Indiens et de Canadien français, admis au conseil des fonctionnaires fédéraux, va jouer un bref rôle dans l'événement. Le vieux savant sauve d'abord la vie du chef cri qu'un fanatique allait abattre, puis celle de Riel lui-même, à qui il dévoile les intentions sournoises de fonctionnaires sans scrupules. Grâce à cette intervention, le chef métis échappe au guet-apens qu'on lui tendait et, en échange de ces services, M. Ménard et son neveu seront les premiers blancs à assister à une fête du Soleil.

Quinze ans se passent. L'ethnologue est resté dans l'Ouest et Jacques Ménard, qui a renoncé à devenir parisien, s'est établi sur un ranch. À ce moment se produit le second soulèvement des Métis. À Louis Riel qu'il nous peint sous les traits d'un demi-fou « au regard brumeux[1] », le romancier oppose la forte personnalité de Mgr Taché, qui a naguère tenté d'obtenir justice pour les Métis, mais qui a été outrageusement trompé par les fonctionnaires. L'une des scènes les plus dures du livre est celle où l'Évêque refuse sa bénédiction aux insurgés.

Dans son troisième roman, Roquebrune, qui n'a pas renoncé à décrire sous tous ses aspects notre vie canadienne, délaisse le

---

[1] *D'un océan à l'autre*, p. 116.

genre historique pour le tableau de mœurs. Cependant, il continue de s'adresser à un lecteur étranger sous prétexte de l'instruire de nos manières de penser et de vivre.

Les Dames Le Marchand débutent comme un roman balzacien. L'héroïne, une veuve de la petite noblesse canadienne, Mᵐᵉ Le Marchand, vit avec sa belle-fille, veuve elle aussi, dans un modeste manoir de la Rive Sud. Les deux femmes ont des difficultés d'argent, par suite de mauvais placements faits par la plus âgée de ces dames.

Mais ce n'est là qu'un des aspects de ce livre étrange, construit autour de la rivalité de deux vieilles femmes pour le cœur d'un enfant sans volonté, Michel Le Marchand. Après un début qui permettait d'espérer une scène de la vie de province, Roquebrune retombe dans les procédés du roman d'aventure, qui lui ont toujours été chers, mais qui n'ont pas ici l'excuse de l'histoire. Et tout d'abord, il crée un mystère un peu puéril autour de la personne de Michel. Ce jeune homme dont tout le monde parle et qui est le mobile de toutes les actions des deux femmes, n'apparaît pas de tout le roman. C'est pour assurer son indépendance que la vieille madame Le Marchand spécule à la Bourse, c'est pour lui obtenir la main d'une riche héritière qu'elle fait la cour à des Américains de passage. Enfin, c'est encore à cause de ce même Michel qu'elle finit par tomber entre les mains d'un misérable faussaire qui la dépouille de ses derniers revenus. Mais cet aspect psychologique est escamoté au profit d'une intrigue de nouvelle à l'eau de rose, montée à seule fin d'amener le dénouement-surprise : pendant que sa grand-mère se démenait ainsi pour l'enrichir, Michel était déjà prêtre à Paris.

Robert de Roquebrune aurait pu, on l'imagine, exceller aussi bien dans le roman historique que dans la description des mœurs. Il a manqué des idées d'envergure, des thèmes d'une portée universelle pour donner à ses ouvrages une vérité que l'auteur ne cherche ni dans l'analyse des passions, ni dans la peinture des mœurs, ni dans l'évolution des caractères, mais, comme au théâtre, dans le mouvement et l'action. Il y a probablement chez Roquebrune un dramaturge qui s'ignore : il ima-

gine par opposition, dessine à grands traits ses personnages,
quitte à nous révéler ensuite leur caractère par leur comportement. Ce sont là des procédés de théâtre. Ajoutons que son
dialogue est direct, vif, enjoué à l'occasion, presque toujours
naturel.

Le souci tout polémique de dissiper l'ignorance des étrangers à notre égard l'a distrait de rendre compte, comme il a
montré qu'il aurait pu le faire, de la transformation de la
société canadienne sous l'influence de l'histoire. Mais prenons-le
comme il est ; il a créé trois récits originaux, colorés, pleins de
mouvement et qu'on continue de lire avec beaucoup de plaisir
et d'intérêt.

Gabrielle Roy

Née en 1909 à Saint-Boniface (Manitoba), Ga-
brielle Roy, après avoir terminé ses études à l'École
normale, se consacre à l'enseignement. Elle fait un
premier séjour en Europe, et s'établit ensuite au
Québec où elle collabore notamment au Bulletin
des Agriculteurs. Bonheur d'occasion, *publié en*
1945, lui mérite le prix Fémina, puis celui de la
Literary Guild of America. En septembre 1947,
elle devient le premier membre féminin de la So-
ciété royale du Canada. Au cours d'un deuxième
voyage en Europe, elle rédige la Petite Poule d'eau
qu'elle publie en 1950. Depuis lors, elle n'a cessé
d'écrire. Parmi les nombreux autres prix qu'elle a
remportés, signalons les prix David et Duvernay,
ceux du Conseil des Arts du Canada et du Gouver-
neur général.

Dès le premier chapitre de *Bonheur d'occasion,* ce qui frappe le lecteur, c'est la familiarité de ce petit monde. Personne ne s'y est trompé ! Même ceux qui n'avaient jamais mis les pieds dans Saint-Henri n'eurent aucune peine à reconnaître Florentine, Rose-Anna, Jean Lévesque, Azarius ou Emmanuel Létourneau. Et on comprend le sentiment de pudeur qui se manifesta à peu près en même temps dans tous les milieux, à la parution de cet ouvrage. Ce fut comme si une campagne habilement menée insinuait dans tous les esprits la même pensée, comme si la rumeur s'étendait de tous côtés à mesure que le livre prenait son essor. On se disait : Ce livre ne risque-t-il pas de donner du Canada une image bien fausse ? Le plaisir qu'on avait éprouvé à lire ce gros roman, d'un format inusité au pays, on refusait de l'analyser, on le laissait plutôt se dissiper. Seule surnageait cette impression que l'auteur nous mettait à nu devant les étrangers, et cette impression pour certains gâtait tout le plaisir de la découverte d'un grand romancier.

Au fond, ce sentiment de pudeur constituait le plus bel hommage à la vérité de *Bonheur d'occasion.* Il révélait — ce sentiment — que nous nous étions reconnus ; que nous savions qu'entre les Florentine, les Azarius, les Rose-Anna, les Emmanuel et les autres Canadiens, il n'existait qu'une différence de surface, toute accidentelle, et qu'on aurait pu remplacer le nom de Saint-Henri par celui d'un autre quartier sans rien changer à la vérité profonde des personnages.

Il y a quelques livres dans lesquels, en ces dernières années, nous avons cru nous reconnaître, que dis-je, dans lesquels nous nous sommes reconnus avec une unanimité dont témoignent leurs tirages élevés, la spontanéité de leur succès, enfin les discussions qu'ils ont provoquées dans les salons, où d'ordinaire, de telles préoccupations sont de prime abord écartées. Et les étrangers ne s'y sont pas trompés non plus ; ce sont les mêmes livres qu'ils ont demandé à rééditer. Pour eux, *Bonheur d'occasion* était une image fidèle, non tant en ce qui concerne les individus — car il s'agit bien d'un roman et non d'une étude de milieu — mais en ce qui a trait à la personnalité fondamentale des Canadiens français.

Notre première réaction, après le plaisir mêlé de nous reconnaître dans le roman de Gabrielle Roy, fut une réaction de défense. Les Florentine, les Azarius se voyaient dans ce roman comme dans un miroir et ils n'aimaient pas l'image ainsi découverte. Ils essayaient bien de se dire : « Dieu merci, nous n'habitons pas Saint-Henri... Il y a un abîme entre nous ! » Ils n'étaient plus aussi certains — maintenant qu'un écrivain les avait décrits — que cette petite barrière des quartiers empêcherait les étrangers de les reconnaître, peut-être même de penser qu'il n'existe pas tant de différence entre Westmount et Saint-Henri et qu'une Florentine, qu'un Eugène Lacasse, sous d'autres oripeaux, restaient ce qu'ils étaient : des êtres peu évolués, préoccupés de se singer les uns les autres, incapables de grandeur et condamnés perpétuellement à ne prendre conscience de leurs désirs qu'à travers les convoitises des autres.

C'est le grand art de Gabrielle Roy d'avoir choisi Saint-Henri, qui est un quartier moyen, l'un de ceux où les Canadiens français sont restés le plus intégralement eux-mêmes pour y situer son intrigue et y faire évoluer ses personnages. En outre, Saint-Henri est un quartier typique. Ceux qui y sont nés le quittent difficilement.

Gabrielle Roy ne transforme pas, ou à peu près pas le réel, parce qu'il entre dans son projet de faire du réel l'armature même de son ouvrage. Ici, les maisons, les restaurants, les rues ne sont pas un cadre, changeable à volonté, mais en quelque sorte un prolongement des vivants.

En dépit de cet art, qui rivalise parfois avec la photographie, ce qui retient dans ces deux gros volumes, ce sont moins cette armature, l'authenticité extérieure des traits, les « choses vues » qu'on peut à loisir vérifier après coup, le livre à la main, que l'intégration de ces observations au thème et à l'état d'âme des personnages. Les descriptions qui suscitent notre admiration éclairent d'abord le conflit ou les personnages. Si l'observation porte sur tant de choses diverses, si l'on doit reconnaître, par exemple, l'atmosphère de la gargotte des Deux Records ou celle de la petite place de Saint-Henri, c'est que le quartier lui-même est alors le quartier personnage principal dans la mesure où il s'identifie à la misère. Chacun des endroits minutieusement décrits nous rappelle un aspect de la misère, et le fait que toute l'action se déroule dans un seul quartier contribue à créer l'impression d'unité, de prison morale, d'îlot maudit. Saint-Henri, avec ses limites précises, ses points de repère bien indiqués, sa monotonie, devient un lieu clos dont le lecteur, comme les personnages, et même avant eux, éprouve le besoin de s'évader.

D'autre part, le monde extérieur prend, en regard, d'autant plus d'importance, sa présence se fait d'autant plus sentir que le drame se passe dans des êtres qui n'ont aucune vie intérieure.

Il semble qu'aucun détail de ces deux volumes ne soit indifférent. La texture serrée de la trame, la densité de l'écriture, l'enchaînement des épisodes, secrètent une poésie profonde d'une émouvante grandeur. Des actions secondaires viennent grossir le cours du récit, mais sans distraire le lecteur de l'impression de misère morale qui domine tout le roman et lui donne sa portée universelle. Car l'aventure de Florentine et de sa famille est plutôt banale. Elle ne retient l'attention que dans la mesure où les figures décrites par la romancière reflètent à travers leurs grimaces, leurs simagrées individuelles, les inquiétudes, les souffrances, l'acceptation, le renoncement ou la révolte de milliers d'êtres semblables dont ils deviennent en quelque sorte, pour un instant, les vivants, les pantelants prototypes.

Le grand romancier ne peint jamais un type, mais des individus, et si l'on doit reconnaître dans son œuvre des traits nationaux, c'est au second degré. Il y a dans *Bonheur d'occasion*, comme dans tous les romans bien construits, une vérité particulière des personnages qui fait qu'ils sont de Saint-Henri, qu'ils portent le nom de Lacasse, qu'ils vivent dans telles conditions ; et une vérité générale, humaine, où l'on peut retrouver quelques traits dominants de la race à laquelle ils appartiennent. C'est la vérité particulière qui donne la vie aux êtres fictifs ; c'est la vérité générale, par contre, qui fait qu'en lisant *Bonheur d'occasion* nous avons le sentiment d'avoir connu des Azarius, des Rose-Anna, des Emmanuel.

L'aventure de Florentine, qui est le sujet de *Bonheur d'occasion,* s'inscrit en creux dans l'aventure générale de la famille Lacasse et celle-ci à son tour s'imbrique dans celle du quartier Saint-Henri au moment de la dernière guerre. Mais c'est Rose-Anna, la mère de famille courageuse et sacrifiée, qui domine tout le roman parce qu'elle est le seul personnage qui contienne assez de grandeur pour que l'auteur puisse l'opposer comme protagoniste à la Misère.

Les autres Lacasse sont des gens à qui des choses arrivent. Les dix enfants, moins bien armés que leurs devanciers pour affronter le monde, sont voués à recommencer le même cycle que leurs parents. Azarius au moins avait un métier : il avait gardé l'habitude de lire, de discuter ; Rose-Anna vient de la campagne, elle a connu des jours meilleurs et surtout il y a en elle des réserves de tendresse et de générosité qui l'élèvent au-dessus de tous les autres. Mais que voulez-vous que devienne un Eugène, insignifiant et veule, un Philippe, maître-chanteur et hypocrite, un Emmanuel Létourneau, fils d'une famille à l'aise, mais sans profession et né pour être besogneux. Yvonne échappe à la sécheresse désespérée des autres ; elle aime, elle est capable de générosité. Elle se fera religieuse.

Ce qui fait la misère de Florentine, ce n'est pas le manque d'argent, ni le fait d'habiter une bicoque branlante à proximité du chemin de fer ; ce n'est pas d'être serveuse dans un uniprix, c'est son ignorance, l'absence en elle de tout désir de changement, de toute volonté d'amélioration personnelle. Elle n'a aucune imagination, elle ne possède aucune notion de ce qu'elle appelle l'amour et qui est à peine la caricature d'un sentiment humain. Les événements la traversent sans rien lui ajouter.

Dans son aventure avec Jean Lévesque n'entre aucune ferveur, mais seulement un antagonisme immanent. Chez la jeune fille, c'est le désir de s'associer à un être qui la domine d'un magnétisme tout animal, de lui céder, de se l'attacher par la passion ; chez l'homme, au contraire, une expérience sensuelle, la tentation de la pitié, un apprentissage de l'héroïsme. C'est pour lui un jeu grave. Mais il voit à travers Florentine et il a le courage de se détacher d'elle, de résister à la pitié qu'elle lui inspire, car il a le pressentiment de ce que serait leur mariage.

Florentine commence sa vie par une faute ; elle l'aggrave en épousant Emmanuel ; elle est dure, égoïste ; elle ne comprend que trois choses : manger, aimer, se maquiller. Comme la plupart des personnages du roman, elle n'a pas eu d'adolescence, passant sans transition de l'école à l'atelier. Le seul acte décisif de sa vie, son mariage, elle le bâcle et le gâche.

À travers toute cette aventure, le narrateur omniscient ne juge pas, ne s'engage pas — sauf peut-être dans le cas de Jean Lévesque, mais si discrètement qu'on oublie aussitôt sa partialité.

C'est par l'amour, ou plutôt par la caricature de ce qu'ils appellent de ce nom, que les pauvres sont diminués. Et Jean Lévesque, marié à une Florentine, ne serait plus qu'un Emmanuel, qu'un Azarius. La misère avilit les êtres, elle les réduit aux instincts. Le mot le plus profond de Florentine lui échappe à la gare, où elle est venue reconduire Emmanuel, son mari depuis quelques jours. Le jeune homme laisse échapper un regret : « Pourquoi me suis-je engagé ? [1] », dit-il. Il songe que sans ce départ, il pourrait rester auprès de sa femme qu'il aime. Mais elle répond : « Parce que cela faisait ton affaire ! [2] » Ce mot si cruel n'implique aucun raisonnement conscient ; il jaillit spontanément de l'égoïsme de la jeune femme, de sa pauvreté intérieure. Emmanuel ne s'offusque pas. Ce cri révélateur qui ferait souffrir un être évolué n'éveille rien dans cet être amorphe.

Ironiquement, on a pu dire que *Bonheur d'occasion* est un roman optimiste puisque l'unique problème, du point de vue des personnages, c'est d'avoir de l'argent et de ne pas mettre au monde d'enfant naturel et que, grâce à la guerre, ces problèmes sont résolus.

[1] *Bonheur d'occasion*, p. 463 (citation libre).
[2] *Ibid.*

Après un roman où les ombres dominent, Gabrielle Roy montre, dans *la Petite Poule d'eau,* un aspect plus riant, presque ensoleillé de son talent. Ce dernier ouvrage nous apparaît un peu comme un récit commencé sans but, poursuivi avec plaisir, mais sans autre préoccupation, semble-t-il, que d'évoquer des paysages aimés, un mode de vie pittoresque, des aventures qui font sourire. Cependant l'auteur n'a rien perdu de ses dons d'observation et de sympathie.

Comme dans *Bonheur d'occasion,* le personnage central est une mère de famille nombreuse, le père, un être effacé, mais le climat diffère. C'est un tableau de bonheur qui contraste avec l'existence précaire des Lacasse.

Gabrielle Roy prend tellement de temps à nous présenter ses personnages qu'elle remet de page en page la tâche de nous raconter une histoire, de nouer une intrigue. C'est un peu comme si elle redoutait, en introduisant une action dans ce monde si paisible, si heureux, de fausser ses petites figurines et de les déformer. Et le récit épuise sa substance, se reprend dans une seconde partie sans même l'ébauche d'une intrigue.

La Petite Poule d'eau diffère de *Bonheur d'occasion* non seulement par sa structure mais également par la qualité de sa poésie. Le ton même a changé ; le style n'a plus cette densité qui sous-tendait les moindres passages du premier roman.

Quand on relit les deux ouvrages, *Bonheur d'occasion* si dense, si tendu, qui emmêle les fils de destins si tragiques, et *la Petite Poule d'eau* sorte d'idylle champêtre, teintée ici et là d'humour, on découvre des liens de parenté entre les Létourneau et les Lacasse, mais non entre les deux formes. Dans les deux romans, la famille compte une dizaine d'enfants ; dans les deux cas, c'est sur la mère que retombe la responsabilité de la maison-née. Mais la misère perd toute son âcreté au milieu de la nature. D'un côté, l'auteur nous présentait la déchéance d'une famille citadine, l'effritement du foyer des Lacasse, les départs, le mariage impudent de Florentine ; de l'autre, c'est une constante montée vers la lumière.

Ainsi, ces deux ouvrages si différents s'éclairent et se complètent l'un l'autre.

Félix-Antoine Savard

Né en 1896, Félix-Antoine Savard, auquel convient le titre de Seigneur de Charlevoix, eut une carrière partagée entre la méditation et l'action. Tour à tour fondateur de paroisse (il fut curé de Clermont de 1931 à 1945), missionnaire-colonisateur en Abitibi (c. 1935-1938), professeur de littérature à l'université Laval (à partir de 1941), animateur des Archives de Folklore (fondées en 1944), doyen de la faculté des Lettres de l'université Laval (1950-1957), président de nombreuses sociétés culturelles et conférencier, il sut cependant faire en sorte de composer une œuvre littéraire tout entière vouée à la description et à la célébration des hommes et du pays de Québec. Plusieurs de ses livres sont la somme de connaissances acquises au cours de séjours parfois prolongés en des régions fort distantes : si Menaud maître-draveur *évoque les paysans et les draveurs de Charlevoix,* l'Abatis *raconte les premières démarches des colons d'Abitibi et le* Barachois *décrit la vie difficile des humbles pêcheurs d'Acadie. Auteur de romans lyriques et de recueils où alternent souvenirs, récits et poèmes, il a aussi écrit des pièces de théâtre, dont cette* Dalle-des-Morts *qui connut un grand succès et qui rappelle l'aventureuse odyssée de nos Voyageurs en route vers l'Ouest américain, au début du XIXe siècle. L'intérêt qu'il porte au folklore et à l'histoire n'en fait pas pour autant un homme du passé. Pour lui, il n'est de tradition que vivante, renouvelée dans un présent sur l'avenir incertain.*

FÉLIX-ANTOINE SAVARD a situé l'action de ses romans dans ce sauvage et grandiose pays de la Côte Nord, où la nature, partout disproportionnée, enveloppe l'homme de son immensité. On sent confusément, au premier regard levé sur ces falaises, où s'agrippent de modestes hameaux, que l'agriculteur ici compte peu. Et l'on comprend l'irrésistible fascination que la forêt exerce sur les plus fiers de ces êtres qui refusent de se laisser asservir par les conditions géographiques.

Les personnages de *Menaud, maître-draveur* sont attachés à la forêt par leurs fibres les plus profondes. Pour Menaud, pour Joson, son fils, pour Alexis le Lucon, « la vie c'était le bois où l'on est chez soi partout, mieux que dans les maisons où l'on étouffe, c'était la montagne là-bas aux cent demeures [1] [...] » Et de Menaud, l'auteur ajoute que, sous les mœurs les plus tranquilles, il avait « à pleine mesure d'âme, l'amour de son pays [2] », « une passion sauvage pour la liberté [3] ».

Menaud n'aime pas les Anglais. Deux cents ans après la Conquête, il ne leur reconnaît aucun droit dans le pays. Et il rêve de les chasser de la province. Forcé pour vivre de les servir, en dirigeant la drave, il se reproche cette concession comme une lâcheté.

C'est une intervention extérieure, la lecture d'une page de Louis Hémon sur la province de Québec, où rien ne doit changer, qui détermine l'attitude agressive de Menaud, son repliement sur lui-même.

Menaud est assis à la fenêtre et il écoute « les paroles miraculeuses [4] » que lui lit sa fille Marie : « Nous sommes venus il

---

[1] *Menaud, maître-draveur*, p. 28.
[2] *Ibid.*, p. 6.
[3] *Ibid.*, pp. 5-6.
[4] *Ibid.*, p. 1.

y a trois cents ans et nous sommes restés [5]. » « Nous avons marqué un plan du continent nouveau [...] en disant : ici toutes les choses que nous avons apportées avec nous, notre culte, notre langue, nos vertus et jusqu'à nos faiblesses deviennent des choses sacrées, intangibles et qui devront demeurer jusqu'à la fin. Autour de nous des étrangers sont venus qu'il nous plaît d'appeler des barbares ! Ils ont pris presque tout le pouvoir ! Ils ont acquis presque tout l'argent ; mais au pays de Québec... rien... n'a... changé [6]... »

Ces mots se gravent dans l'esprit du vieux coureur des bois. C'est que l'auteur de *Maria Chapdelaine* a transmué en idées simples, presque sensibles, ce que Menaud sentait confusément mais ne savait pas exprimer. Nous voyons peu à peu le maître-draveur devenir prisonnier de ces formules, auxquelles il prête un dynamisme qu'elles n'ont pas et dont il se fait des mots d'ordre. Désormais, l'évolution du roman suivra le cheminement dans l'esprit de Menaud, de ces idées reçues fortuitement, et que Félix-Antoine Savard reprend à la façon d'un leitmotiv.

Trop vieux pour entreprendre lui-même la lutte, le maître-draveur met son espoir en son fils Joson, qu'il a élevé dans la forêt, où se forment les âmes fortes et d'où, « un jour peut-être descendrait la liberté, terrible comme la Sinigolle au printemps [7] ». Certes, « Joson prendrait un jour la relève et chasserait [du pays] la maraudaille étrangère. Car, enfin, il faudrait en venir là ! [8] ».

Mais au cours des périlleuses manœuvres de la descente des billots sur la grande rivière Malbaie, Joson se noie en dégageant une embâcle.

Après la mort de son fils, Menaud a l'impression que toutes les choses auxquelles il a donné le meilleur de lui-même le trahissent. Et presque aussitôt, il doit faire face à une nouvelle épreuve. Sa fille Marie s'est éprise de Délié pour lequel le maître-draveur ressent une singulière aversion. En effet, à ses

[5] *Menaud, maître-draveur*, p. 1.
[6] *Ibid.,* p. 2.
[7] *Ibid.,* pp. 28-29 (citation libre).
[8] *Ibid.,* pp. 16-17.

yeux, le Délié représente les forces du Mal. Il sert d'intermédiaire entre les étrangers qu'on ne voit pas, et la montagne dont
ils veulent s'emparer. C'est le Délié qui, par intérêt, leur a
montré le chemin du domaine.

Désormais, les chasseurs se verront interdire l'accès de ce
territoire. Menaud se révolte. « Pour défendre tout cela, dit-il,
je donnerais ma vie [9]. » Mais aucune résistance n'est possible
sans la levée en masse de tous les habitants de la région. Et personne autour de Menaud ne veut en arriver à ces extrémités.

Abandonné de tous, Menaud se retranche dans la montagne
avec son fusil et devient un proscrit. On ne le poursuit pas
comme il l'avait d'abord espéré ; on ne lui donnera même pas
l'occasion de se faire tuer en défendant sa montagne.

Alexis le Lucon, que Marie préfère au Délié, depuis qu'elle
connaît la trahison de ce dernier, accompagne le vieillard. Puis
c'est l'attente dans la forêt, l'énervement de Menaud, sa course
dans la tempête de neige, la mauvaise chance qui lui fait perdre
son chemin, les secours qui tardent et la folie.

En face de son père, Marie incarne le bon sens, l'attachement, non à des terres illimitées, mais à la portion de sol qu'on
cultive. À la fin du livre, la jeune fille conseillera au Lucon de
reprendre le bois, de continuer la lutte, mais nous pouvons voir
là le geste d'une amoureuse qui sait accepter l'inévitable et tirer
le meilleur parti de la folie des hommes. Elle sait qu'Alexis n'a
ni l'envergure, ni l'obstination de Menaud. Il est jeune, il aime,
il ne tardera pas à se conformer.

Menaud symbolise le drame d'un peuple minoritaire, éco-
nomiquement pauvre et isolé, mais il symbolise également sur le
plan universel, tous les êtres qui se détournent de leur temps
pour se complaire dans une vision stérile du passé et qui sont
écrasés par la marche d'un monde qu'ils n'ont pas essayé de
comprendre.

Ce résumé de *Menaud, maître-draveur* laisse malheureusement de côté la plupart des grands tableaux, comme la drave,

9 *Menaud, maître-draveur*, p. 146.

le combat d'Alexis et du Délié, l'incendie de forêt, qui ne se rattachent pas à la ligne principale de l'action. Et nous pouvons nous demander si nous n'avons pas eu tort de traiter cet ouvrage comme un roman.

Il y a, en effet, entre ce récit et la conception la plus large qu'on peut se faire du genre romanesque toute la distance qui sépare la création d'un monde imaginaire de la reconstitution stylisée, poétique, du monde réel.

Il est évident que le premier souci de Félix-Antoine Savard n'est pas la connaissance de l'homme, mais bien l'investigation poétique du monde sensible. Le frère Marie-Victorin, qui avait salué en l'auteur de *Menaud,* un grand écrivain, disait que « personne n'avait appliqué une aussi brillante imagination à fouiller le cœur des choses ». Fouiller le cœur des choses, c'est là un art de poète plutôt que de romancier, ce dernier s'appliquant surtout à fouiller les consciences, à sonder les reins et les cœurs.

Dans *Menaud,* les événements, sauf la folie du héros, ne sortent pas des personnages ; le ton, le rythme général de l'ouvrage sont ceux d'un poème, et il n'est pas jusqu'au leitmotiv, emprunté à Louis Hémon, qui ne vienne renforcer cette impression.

Le roman exige une plus grande rigueur de composition, le sacrifice de descriptions qui souvent ici constituent l'essentiel. On voudrait, par exemple, que la mort de Joson soit reliée à l'action, qu'elle ne soit pas un simple accident, que le corps à corps d'Alexis et du Délié pèse d'un certain poids sur la marche du récit...

Cette absence de lien entre les événements est encore plus évidente dans *la Minuit,* où tout un village se laisse séduire par des idées de partage des richesses et d'égalité. C'est Corneau qui relie entre eux les divers fils de l'intrigue, et Geneviève, la plus belle figure du livre, se contente de subir l'action.

Mais renonçons à toutes ces complications psychologiques, regardons comme des poèmes ces deux récits. Dans cette nouvelle perspective, Corneau et le Délié deviennent des mythes poétiques ; ils incarnent les menaces obscures qui viennent des villes ; Menaud et Geneviève reprennent leur grand rôle de figures symboliques, engagées dans une aventure non plus individuelle mais collective. Et nous avons dans *Menaud* une magnifique épopée de la forêt, dans *la Minuit,* un poème à la gloire de la communion des saints.

La langue de Félix-Antoine Savard, en dépit de préciosités inattendues, est robuste, savoureuse, fortement enracinée dans le terroir. Son style se compose d'une marquetterie de phrases amoureusement ciselées, aux images somptueuses. Cet écrivain, qui conçoit ses livres par larges fresques, possède un ton bien à lui, un sens inné de la beauté, servie par une attention patiente devant la nature et une connaissance approfondie de la flore indigène. Il est incontestablement un grand poète descriptif et l'un de nos meilleurs prosateurs.

Yves Thériault

Né à Québec en 1915, Yves Thériault passe sa jeunesse à Montréal, dans le quartier Notre-Dame-de-Grâce. Il a une vie active et variée : travaux radiophoniques, direction artistique de spectacles à Trois-Rivières, gérance d'un journal à Toronto, gérance de la publicité dans une usine de guerre, collaboration à l'Office national du film, à Radio-Canada et à divers journaux et revues, nombreux voyages... En 1959, il est élu à la Société royale du Canada et devient, en 1964, président de la Société des Écrivains canadiens. De 1965 à 1967, il est directeur des Affaires culturelles au ministère des Affaires indiennes et du Grand Nord canadien, à Ottawa.

L ES *Contes pour un homme seul,* d'Yves Thériault, nous intro-
duisent dans un monde âpre, fermé de toutes parts, où la
violence est monnaie courante, où, comme dans les cauchemars,
les lois ne s'appliquent plus, où la vie elle-même a une autre
saveur et un autre sens que dans le monde réel. Les hommes y
sont plus grands que nature et leurs gestes, leurs passions, leurs
crimes participent de cette démesure. Ils obéissent à des instincts,
suivent une logique, se conforment à une morale qui ne coïn-
cident pas avec ceux des hommes civilisés. Dès les premières
pages de ces récits, nous sommes littéralement plongés dans un
monde de visionnaire et seule la magie du style et de la composition nous empêche d'y perdre pied.

Voyez ce village de Karnac, que Thériault nous décrit dans
la Fille laide et où se retrouvent nombre de personnages de ses
contes : les Lorgneau, les Boutillon, les Daumier, les sœurs
Valois et les autres. « Pour parler de ce hameau bâti à même la
montagne, y lit-on, où ils vivent et meurent, unis et se complètent les uns les autres, soupçonneux de ce qui vient de loin,
sédentaires dans leur géographie à deux horizons, la montagne,
et le bout de la plaine que l'on voit à cent milles, par temps
clair [1]. »

« Gens rudes et simples, sans demi-haine ou amour subtil.
Des sentiments tranchés, des désirs ou de l'indifférence, et les
désirs avec les gestes, l'indifférence aussi. Quand Daumier a
voulu la fille de Lorgneau... Quand Lorgneau a tué la femme qui
avait tué son petit... Quand Boutillon a tué Ambroise qui était
son engagé... Quand les bessonnes Valois ont décidé de se passer
d'hommes... Quand tout ceci est venu, l'acte a été fait d'un coup,
sans discussion, sans remords, en gardant le visage sincère de
tous les jours, parce qu'ainsi devait se vivre la vie [2]. »

---

[1] *La Fille laide,* p. 113.
[2] *Ibid.,* p. 114.

Le monde particulier, déroutant, dont ce passage nous donne un aperçu, peuple les *Contes* et les deux premiers romans de Thériault : *la Fille laide* et *le Dompteur d'ours*. S'il conserve toute son authenticité et son étrange pouvoir d'envoûtement dans la première de ces œuvres, qui raconte l'amour d'un gars de la montagne pour Édith, la fille laide venue de la plaine, le crime que cet amour lui inspire et son châtiment ; par contre, dans *le Dompteur d'ours,* cet univers s'étiole, perd de sa couleur et de sa vérité jusqu'à devenir la caricature de ce qu'il a été. Mais un nouvel élément fait son apparition, une force qui jusque-là n'avait joué que discrètement, mais toujours et partout contenue et sous-jacente et qui va envahir toute la scène : la sexualité. C'est cette force qui domine dans les derniers romans de Thériault.

C'est elle qui est l'aiguillon du roman : elle résume désormais tous les instincts ; l'auteur en fait la loi suprême du nouvel univers. D'autre part, les personnages s'humanisent ; ils n'étaient d'abord qu'instinct et ils se réalisaient dans l'action. La vie en eux s'identifiait à une poussée qui renversait tous les obstacles. C'est ainsi qu'ils nous étaient apparus jusque-là. Mais maintenant, ils se révèlent plus complexes, leurs passions, dégradées, sont devenues des vices. Enfin, suprême avatar, les villageois ne sont plus seulement des habitants non identifiés de la plaine ou de la montagne, mais des ressortissants d'un pays, soumis comme tels aux lois communes.

Le procédé, dans les trois premiers ouvrages, était plus ou moins celui du conte. Dans ce genre, importe par-dessus tout le tour du récit, le dénouement en coup de poing ; la psychologie y est subordonnée au mouvement, à l'action, aux effets de surprise. Le ton, adopté une fois pour toutes par commodité, ne variait guère d'une nouvelle à l'autre. Le style ayant pris un pli, on pouvait craindre que l'esprit en prît un aussi. Et du point de vue du public, tout procédé, si ingénieux qu'il soit, lasse à la longue.

Thériault s'en est avisé, et dans son dernier ouvrage, aux qualités qui faisaient la valeur de ses contes, il a adjoint la psychologie. En même temps que ses personnages, sa langue s'est assouplie. Les êtres qu'il met en scène restent violemment contrastés, hauts en couleur, mais désormais leur originalité ne sera plus obtenue au détriment de la vraisemblance.

Le Dompteur d'ours et *les Vendeurs du temple* ont, entre autres ressemblances, la même architecture. Un événement se produit dans un village, qui intéresse tout le monde ; ici, c'est l'arrivée d'un étranger ; là, la découverte d'une nappe d'huile dans le sous-sol d'une paroisse ; l'auteur suit les réactions de cet événement dans la vie du village, les secrets remous qu'il produit dans les principales coteries. Il en profite pour nous révéler les secrets d'alcôve de presque tout le monde. Dans *les Vendeurs du temple,* cela va du couple normal, mais un peu bruyant dans ses ébats, jusqu'au pauvre d'esprit qui se fait surprendre, à la brûnante, en train de contempler par la fenêtre les formes à demi dénudées de la présidente des Enfants de Marie. Comme on peut le constater, le visionnaire des contes évolue vers le réalisme. Cependant, dans *les Vendeurs du temple,* l'exploration des secrets féminins ne le distrait pas de son propos qui est de brosser un tableau des mœurs ecclésiastiques et politiques d'un village québécois.

À côté de *la Fille laide,* qu'il suit dans l'ordre des publications, *le Dompteur d'ours* apparaît comme une idylle champêtre, une sorte de fête de la sexualité qui se termine par une pitrerie. Voici la fable en quelques mots :

Un jour de grande chaleur, dans un village de montagne, survient un étranger, homme d'une carrure extraordinaire, insolite, indécente presque.

L'homme s'arrête au milieu de la place, conscient de l'effet qu'il produit, puis il entre au caravansérail de l'endroit et demande à manger.

Il parle peu de lui-même, répond par monosyllabes, fait de toutes façons le mystérieux et ajoute au prestige de sa force celui, encore plus grand, du silence sur son passé. Les enfants et les femmes sont troublés par sa présence ; ces dernières, surtout, qui sentent à le regarder s'éveiller en leur être primitif des convoitises défendues.

Mais Herman, c'est le nom que l'inconnu se donne, semble indifférent aux passions qui s'allument sur son passage et qui vont, au cours du récit, changer la vie de plusieurs familles. Des femmes, prises de vertige, vont le rejoindre dans la grange où il a trouvé asile ; il les apaise d'un flot de paroles et les renvoie au lit conjugal. Il n'est point venu pour cela. Pourquoi donc alors ? Il veut combattre, mains nues, le plus gros ours qu'on pourra lui amener.

Les frères Jubin montent au bois, capturent un ours, mais la puissance maléfique de l'étranger les dresse l'un contre l'autre. À la fin, cependant, ils ramènent l'animal enchaîné au village et toute la population accourt sur la place pour assister au combat promis. Mais Herman se défile et disparaît avec leur argent.

Il y a là tout au plus, vous en conviendrez, la matière d'une bonne nouvelle ; au fait, ce roman se compose de contes différents, reliés entre eux par la présence d'Herman. Ce personnage dont nous ne savons pas le véritable nom, qui ne dit rien de lui-même et se contente de traverser le village en attendant qu'on lui amène un ours, déclenche toutes les actions, mais il n'agit pas lui-même. Il est également le seul à ne rien nous révéler de sa vie sexuelle. Il reste un symbole, un mythe, celui de la tentation qui passe...

Les Vendeurs du temple ont plus d'allure comme roman. Plusieurs des personnages de cet ouvrage, notamment le curé Bossé, sont dessinés avec une vérité qui autorise à penser que le visionnaire des contes se double, quand il le veut, d'un observateur attentif et perspicace.

Nous pouvons croire que cette seconde manière de Thériault ne représente qu'une étape de transition, que l'auteur des contes dépassera la sexualité comme explication de tout, pour atteindre la vie intérieure, la seule qui rende compte adéquatement du comportement des êtres.

L'auteur de *la Fille laide* possède comme écrivain un pouvoir d'incantation qui s'exprime aussi bien dans le dialogue que dans les descriptions et qui est unique dans nos lettres. Son verbe oscille sans cesse entre les deux pôles du réalisme et de l'imaginaire. Et c'est cette conjonction du fantastique et du réel, ce va-et-vient perpétuel de l'un à l'autre, sans transition, qui fonde l'originalité de son style et de ses personnages.

Ce romancier s'est inventé une langue, dont il décrète lui-même les règles, et qui le sert admirablement pour rendre sensibles, palpables presque, le mouvement et la vie.

Notes

Thériault a adopté, dans ses contes comme dans ses romans un ton, qui ne varie pas et qui soutient la pensée et le récit, C'est un procédé, habile si l'on veut, mais un procédé, c'est-à-dire une recette de fabrication. L'art est ailleurs. Le procédé peut donner le change quand on le rencontre pour la première fois, mais quand on en a percé le secret, il gêne l'esprit comme un faux bijou. On ne s'explique la complaisance dans une aussi constante imitation de soi-même que par manque d'esprit critique ou par nécessité de produire rapidement et beaucoup. Ce dernier cas est celui de l'auteur de *la Fille laide*.

Cette nécessité, où il s'est mis de produire à jet continu des contes, l'a rendu maître de l'art de conter. Mais ses personnages, commandés par son style, manquent souvent de nécessité profonde. L'aventure est conçue en dehors d'eux et ils viennent sagement y prendre place, mais l'action rarement jaillit d'eux, prend sa source dans un trait de leur caractère, dans une passion contrariée, dans un mouvement profond de leur être.

Ces êtres, en dépit de leur diversité apparente, n'ont qu'une même voix pour tous, qu'une façon d'agir, de penser, de sentir. Né d'un trait, d'un détail vestimentaire, le personnage de Thériault est multipliable à volonté. Ses gestes n'ont aucune répercussion sur lui, quels qu'ils soient ; ils sont toujours écrits sur de l'eau. D'avance, toutes les contraintes morales ou sociales lui sont évitées. La rançon de sa multiplicité, c'est son irréparable caducité, son irréalité. Le livre fermé, qui se rappelle un personnage de Thériault, son personnage ?

Roger Viau

Né à Montréal le 11 mai 1906, Roger Viau fait ses études au collège Sainte-Marie, à Loyola et à l'École des Hautes Études commerciales. Lancé dans l'industrie, il occupe le poste de président de la compagnie Viau pendant vingt-huit ans. Écrivain et peintre, il est membre du conseil du Musée des Beaux-Arts de Montréal, et président de la Société d'Archéologie et de Numismatique de Montréal (Château de Ramezay), 1970-1971.

J ACKIE Malo et Gilbert Sergent sont les deux héros du roman de Roger Viau, *Au milieu, la montagne.* Voici en quelques mots leur histoire : Jackie, dont les parents habitent la rue Plessis, dans l'est de la ville, rencontre à la montagne, où elle va faire du ski le dimanche après-midi, un étudiant d'Outremont, Gilbert Sergent, fils d'un financier cynique et d'une mère snob. Le jeune homme qui en est à sa première expérience sentimentale, se jette corps et âme dans cette aventure ; Jackie, attirée d'abord par la fortune et les manières distinguées du jeune étudiant, puis surprise d'être admirée en même temps que désirée, entrevoit la possibilité d'un beau mariage, après une longue période de plaisirs sans cesse renouvelés. Elle se laisse assez facilement séduire. Et elle est reçue une fois dans le salon huppé des Sergent, ce qui fournit à Roger Viau l'occasion d'une des scènes les plus burlesques de son livre.

Mais le temps passe, l'étudiant est devenu médecin. Il convient de le marier à une jeune fille de son monde. Gilbert résiste un peu pour la forme ; on l'amène en Europe et à son retour on annonce ses fiançailles à une jeune fille d'Outremont.

Jackie apprend cette nouvelle par hasard, en feuilletant un vieux journal. Dans un accès de désespoir, elle court, en pleine tempête de neige, jusqu'au quai Victoria et va se réfugier au pied de la Tour de l'Horloge, où elle est venue souvent rêver en compagnie de Gilbert. Elle se remémore alors le premier verre de vin qu'elle a bu dans la salle de bal de l'hôtel Mont-Royal, les randonnées qu'elle faisait en auto avec son ami jusqu'aux raffineries de pétrole de la Pointe-aux-Trembles, les piqueniques à l'Île Sainte-Hélène au temps où, avant la construction du pont, on faisait le voyage à bord d'un traversier ; elle se rappelle encore l'hécatombe du Laurier-Palace dans lequel son jeune frère a péri... Tous les grands événements de sa vie, tous ses malheurs... Un moment, elle songe à se jeter dans le remous qui tourbillonne au pied du môle, mais elle se ressaisit et rentre rue Plessis où son père, devenu chômeur perpétuel par suite de la crise de 1929, passe ses longues journées à lire le journal et à poursuivre des rêves de réussites.

Quant au jeune Gilbert Sergent, l'autre moitié de ce couple déchiré, on imagine qu'il se console facilement. Au fond, Jackie ne fut jamais pour lui qu'une aventure de jeunesse.

L'intrigue d'*Au milieu, la montagne* n'a rien d'exceptionnel ; les personnages non plus. Roger Viau se sert du roman comme d'un truchement pour exprimer des idées et reconstituer un milieu, une époque. Les individus l'intéressent moins que les groupes sociaux dont ils sont les symboles. Les vrais protagonistes de cet ouvrage sont deux classes sociales, deux façons de vivre, ou plutôt, le Canadien français qui a réussi opposé à son congénère qui vit dans l'humiliation et la misère. Entre l'Ouest, forteresse de la bourgeoisie, et l'Est, où végètent les Malo et ceux qui leur ressemblent, se dresse la montagne, sorte de *no man's land,* où le dimanche les éternels adversaires peuvent un moment oublier leur rivalité, leur incompréhension ou leur haine et, sinon fraterniser, du moins se côtoyer et se mêler. Là se produisent des rencontres imprévues, s'ébauchent des aventures... ; parfois, comme dans le cas de Jackie, s'allume un grand amour... Mais ceux qui s'engagent dans ces terres neutres le font à leurs risques et périls.

Roger Viau a observé la société canadienne. Il a collectionné les déficiences, les défauts et les ridicules de ses compatriotes. Le peuple paraît l'avoir particulièrement fasciné ; il le décrit en historien et en sociologue. Il a souligné, par exemple, la solidarité qui existe entre le prolétariat et le monde de l'argent et dont ni les uns ni les autres ne sont conscients quand tout va bien. Survient une crise, comme celle de 1929, et le malheur qui frappe les possédants s'étend bientôt à ceux qui se croyaient le plus étrangers à leur fortune.

On peut reprocher au romancier d'*Au milieu, la montagne* de porter des jugements un peu sommaires, de simplifier à l'excès les problèmes, de juger ses personnages en statisticien et en sociologue. Il oublie, d'autre part, trop facilement, que l'Ouest est constitué en grande partie de gens venus de la rue Plessis, de Malo qui se sont enrichis et qui, à la deuxième génération, s'appellent des Sergent.

Les Sergent sont incapables de comprendre les Malo et ceux-ci en revanche ne voient dans les premiers que des favorisés du sort, qui n'ont rien à faire pour voir s'accumuler les millions dans leurs coffres.

La peinture des Malo, qui occupe la première partie du roman, pourrait avoir été composée par un Sergent. Les Malo, en effet, n'ont que des défauts. Le père, imprévoyant et fier, laisse mourir ses enfants de faim, mais, par respect humain, il interdit à sa fille de se faire soigner au dispensaire. Il s'endette pour montrer à ses voisins, comme il dit, « qu'on est du monde nous autres aussi [1] ». La mère est dévouée, mais peu intelligente et même niaisement superstitieuse ; Jackie elle-même n'est qu'une petite vaniteuse. On a l'impression en lisant ces scènes de misère que les Malo sont pauvres par leur faute, qu'ils ont choisi délibérément d'être ignorants et besogneux.

Il ne faudrait cependant pas croire que l'auteur se montre plus tendre pour les Sergent, mais dans la seconde partie, le trait est moins appuyé, le ton tourne à la caricature. Alors que les Malo provoquent le sarcasme, les pointes acérées, les bourgeois d'Outremont, eux, font sourire ; ils ne sont que ridicules.

Si Roger Viau paraît manquer de sympathie pour ses personnages, c'est qu'en réalité ceux-ci n'existent pas comme individus à ses yeux ; ils représentent des pièces d'un problème sociologique. Nous avons dans les parents de Jackie, des Canadiens français pauvres, tels qu'on les rencontre dans l'Est : ignorants, superstitieux, imprévoyants, dénués de goût et facilement résignés à leur sort. L'auteur s'attache surtout à leurs défauts, parce que ceux-ci ont pour cause le milieu.

Florian, le père de Jackie, est le plus étudié des personnages. C'est un type. Briqueteur de métier, il ne trouve d'emploi

---

[1] *Au milieu, la montagne*, p. 102 (citation libre).

12

que durant la belle saison ; il fait alors de folles dépenses pour impressionner les voisins. Puis la saison morte venue, accablé de dettes, il considérerait comme un déshonneur d'accepter un travail de manœuvre. Il a sa fierté d'homme de métier, mais il laisse sa femme peiner « à la journée » dans les beaux quartiers. Lui, pendant ce temps, fait des projets qui lui rapporteront la fortune. Au retour des beaux jours, il oublie ses résolutions et retombe dans ses excès. Survient la crise et il se trouve complètement désemparé. L'homme de métier, comme les autres, se voit réduit soudain au rang de chômeur. Florian essaie de résister à cet avilissement ; il serait prêt à accepter n'importe quel genre de travail, mais il doit renoncer à obtenir même les plus humbles emplois, ceux qu'il méprisait naguère, mais dont il aurait besoin maintenant pour retrouver sa dignité.

Les Sergent, eux, n'ont pas souffert de la crise. L'auteur ne fait qu'esquisser leur portrait moral. Ils sont égoïstes, incompréhensifs, snobs ; ils s'en laissent facilement imposer par les étrangers. L'argent seul, semble-t-il, les sépare de la rue Plessis d'où ils viennent, mais ils ne le savent pas et d'ailleurs, n'est-ce pas beaucoup ?

Le mot de Flaubert : « Madame Bovary, c'est moi », Roger Viau ne pourrait sans doute le dire d'aucun de ses personnages. Il ne s'est mis à la place d'aucun d'eux. Celui dont il paraît le plus près, c'est Jackie Malo que son amour nous rend sympathique et qui est également la seule des créatures du roman qui échappe au ridicule et à la déchéance.

La conception que Roger Viau se fait du romancier lui fait voir en celui-ci, plutôt qu'un créateur-providence qui se penche avec amour sur ses personnages une sorte de législateur qui impose des règles rigoureuses, doublé d'un juge qui les fait suivre de sanctions impitoyables.

Robert CHARBONNEAU

Aspects du roman

ASPECTS DU ROMAN *

I

Dans la littérature moderne, plusieurs romanciers ont été intéressés par *les doubles personnalités,* Dostoïevski, Stevenson dans *Dr Jekyll and Mr Hyde ;* Kafka dans les *Métamorphoses ;* le cinéma nous a montré dans le *Procureur Hallers* le prototype d'un grand nombre de romans.

Racine répétait après saint Paul « il y a deux hommes en moi ». On rencontrerait dans la poésie ce thème repris sous différentes formes. Au théâtre et dans le roman, qui sont des arts universels, qui intéressent l'homme en autant qu'il se retrouve lui-même, ce thème présentait de redoutables difficultés. Le poète n'a pas à se préoccuper de la vraisemblance et la fable est un art fondé sur l'allégorie. Mais le roman ne peut que difficilement prolonger une allégorie au delà de deux cents pages ; par essence la fable, l'allégorie doivent être courtes ; il y va de leur perfection. La poésie, à cause de l'enchantement qui lui est propre, peut se servir du symbole, de l'allégorie. L'art du roman est et doit rester plus réaliste.

Des trois œuvres mentionnées une seule a l'allure du roman : *Dr Jekyll.* Kafka a écrit un conte hallucinant. Son personnage s'éveille un matin avec sa conscience d'homme dans le corps d'une bête immonde. Il est transformé en vermine. Kafka suit l'évolution de la conscience de cette vermine jusqu'à la fin. C'est irréel, fantasmagorique, c'est un impossible senti comme réalisé, mais cela relève du conte extraordinaire à la Poe, avec en plus une analyse aiguë, humaine, d'un cas inhumain.

* Article paru dans *La Nouvelle Relève,* mars 1946, vol. IV, nᵒ 9, p. 762-770 ; mai 1946, vol. V, nᵒ 1, p. 41-45 ; juin 1946, vol. V, nᵒ 2, p. 166-169

Le procureur Hallers, le jour, citoyen intègre, avocat éminent, devient la nuit un personnage louche, qui utilise pour ses fins malhonnêtes des secrets confiés à l'homme de loi qu'il est le jour. Dans son cas, aucun changement psychique ; il revêt sa toge ou son complet d'apache. Mais c'est là un cas pathologique, un phénomène qui relève surtout de la science. Il n'y a pas à proprement parler dans cette œuvre de roman du dédoublement et les péripéties ne diffèrent pas beaucoup de celles que Mariveaux, Molière, Shakespeare inventent autour de personnages déguisés ou se faisant passer pour autres.

Mais Stevenson s'attaque au problème même de la double nature. Et le drame ne vient pas de ce que Hyde fait la nuit quand prenant le corps et l'argent du Dr Jekyll il court à ses plaisirs dégradants, mais bien plutôt de la transformation du Dr Jekyll sous la poussée de Hyde. Peu à peu Jekyll se sent envahir par la personnalité de Hyde qu'il ne voulait revêtir qu'à volonté ; Jekyll s'efface sous ce qu'il n'avait choisi que comme un masque commode. Et à cet égard, Stevenson n'a pas cherché à éluder la difficulté. Au contraire, c'est d'elle qu'il tire l'œuvre d'art.

Stevenson raconte qu'il a cherché longtemps une formule romanesque qui lui permit de concrétiser les deux natures. Disons que celle qu'il a trouvée dans un rêve atroce n'est pas très bonne. Comment croire à l'existence d'une solution chimique capable de transformer non seulement le physique de Jekyll au point de le rendre méconnaissable à son meilleur ami, mais encore de lui donner une autre âme ?

Et pourtant Stevenson n'est pas dupe de la naïveté de son appareil. Il l'avoue implicitement dans les premières lignes du récit en nous disant que Jekyll, gentleman respectable, allait parfois incognito se procurer des plaisirs moins nobles. Comme son œuvre eût été plus classique, d'un intérêt plus universel s'il s'était limité à la peinture des deux natures de Jekyll. Car la confession de celui-ci n'a pas besoin pour être vraisemblable du philtre et du changement d'âme.

Le Jekyll sérieux est doublé d'un Jekyll (Hyde) qui aime la violence, les femmes, les plaisirs. Peu à peu, le goût du plaisir, l'habitude du vice triomphe de son désir de *respectability* et il tombe dans la débauche. Devant les gens, il s'efforce de maintenir les apparences, mais à tout moment il se trahit. À la fin, pris de désespoir, conscient d'être ce qu'il est, il met fin à ses jours.

Le philtre ne fait qu'embarrasser le récit que tout lecteur averti suit avec intérêt, se passionnant pour cette lutte inégale de l'ange et de la brute.

L'erreur de Stevenson a été non de rendre Hyde repoussant mais d'en faire un être différent de Jekyll. Il aurait obtenu un effet plus saisissant en montrant sous deux faces complémentaires le même personnage.

*
*   *

L'intérêt du roman français repose moins sur le récit que sur la connaissance de l'homme. Le romancier est un moraliste. On accorde aussi beaucoup d'importance à sa méthode et à son style. Tout romancier français ambitionne d'être philosophe. D'où la *portée sociale des œuvres.* Au fond, le Français n'aime pas les romans. Il faut qu'ils soient aussi autre chose. Il ne lit pas un roman pour lui-même, mais parce qu'il est l'œuvre d'un grand écrivain. Cela ajoute à la confusion.

La connaissance de l'homme n'est pas incompatible avec l'objet du roman anglais qui est de raconter. Ainsi, les deux objets se rencontrent dans les grands romans anglais qui contiennent implicitement des vérités d'une portée universelle.

Ce qui distingue les grands romans des œuvres sans portée, c'est l'envergure de la conception, la violence des passions, la grandeur dans le bien comme dans le mal des volontés individuelles. Le grand écrivain est celui qui s'est assigné une tâche d'envergure et qui l'exécute comme il l'a conçue, dans la foi.

*
*   *

Il faut voir les être sous l'angle de l'action. Un roman se crée non à partir d'un personnage statique, mais de l'action d'un personnage dynamique. D'agi, il faut que le personnage devienne agissant. Que ses pensées soient motrices. Ce qui est difficile, ce n'est pas de placer des personnages dans le champ de l'action, mais de les retenir le temps de leur donner une personnalité.

Rien ne compose mieux que l'observé, mais cela fait du ciment et non de la vie, cela fait un escabeau mais jamais un arbre. Pour s'intégrer dans la création, l'observation doit être retrouvée dans la mémoire, en quelque sorte au passé mais non abstraite, dans ce concret spirituel où elle a le plus de chance, trempant encore dans la sensibilité, de déclencher le processus de l'éclairage cérébral, où elle offre simultanément un riche butin à la sensibilité et à l'imagination. Sans ces deux auxiliaires, l'observé est de l'ordre de l'instruction et rejoint l'expérience et les catégories. Cela est si vrai que *le romancier* n'est pas celui qui a « tout vu » mais *celui qui a retenu l'essentiel et saisi la simultanéité du vivant.*

*

*   *

Ce n'est pas seulement le roman qui traverse une crise, c'est toute la littérature. Et si paradoxal que cela paraisse, cette crise vient de ce que la littérature d'aujourd'hui ne s'adresse plus à un public, mais à des publics. Tant que la littérature a eu une portée sociale, un Claudel n'aurait pas été possible, un Gide, un Cocteau, non plus.

La crise a aussi un aspect technique. Les grandes disciplines découragent des auteurs versatiles, pressés, assurés de trouver pour n'importe quoi un public. Ce sont des esprits étrangers à la poésie, au théâtre, à la fiction qui révolutionnent la poésie, le théâtre, le roman. La forme qui a permis à des écrivains aussi différents que Stendhal, Balzac, Dostoïevski, Bernanos de donner des chefs-d'œuvre n'est pas épuisée. Aujourd'hui, tout commençant veut écrire une œuvre qui ne ressemble en rien à celles qu'il a lues. Il se crée un métier, une langue, un genre plutôt que de se mettre à l'école. À ce compte, *le jour n'est peut-être pas loin où chacun se constituera son propre alphabet pour ne rien devoir au passé.*

Balzac n'a pas inventé sa forme parce qu'il avait autre chose à faire. Il mit d'ailleurs tout son génie à faire rendre à cette forme universelle toute la gamme de ses visions, de ses sentiments, de ses pensées et c'est ainsi que de règles fixes il a créé une forme à lui.

La technique est comme la grammaire ; elle est un élément essentiel, mais elle ne doit pas être la préoccupation principale du créateur ; *le premier signe qu'on n'a rien à dire c'est de chercher des manières de le dire.*

LETTRE À UN JEUNE ÉCRIVAIN

Il est difficile de juger ce manuscrit selon les canons ordinaires. Ce n'est ni un roman, ni une nouvelle, ni un essai et pourtant cela tient de ces trois genres. Ce n'est pas un roman ; il n'y a pas d'intrigue à proprement parler, les personnages ne parlent pas, et, sauf à la fin, il n'y a pas d'évolution intérieure. Les événements sont escamotés. D'autre part, en dépit de l'intérêt des idées développées, elles ne forment pas un ensemble.

Qui est le personnage principal ? C'est par des anecdotes habilement choisies, des conversations rapportées, des jugements portés sur lui par ses amis, ses parents, ses connaissances, qu'il faut nous montrer son caractère. Pourquoi est-il si fortement ébranlé par le mariage d'Anny ? À vrai dire, le lecteur n'a qu'une idée très vague de cette chanteuse, il faut nous la faire aimer, nous la rendre sympathique. Telle qu'elle est, aperçue deux ou trois fois, elle nous paraît peu sympathique et le lecteur ne comprend pas le sentiment qu'elle inspire au héros encore moins son désespoir de la perdre. Quel rôle joue le jeune homme dans ce milieu ? Quelles sont ses occupations ? Toutes ces questions demandent une réponse et enrichissent la substance humaine du roman. L'auteur pose un ou plusieurs problèmes au lecteur. Il doit les résoudre à sa satisfaction. En le faisant, il grossit le potentiel humain du roman.

Ce personnage qu'est-ce qui fait qu'il est lui-même ? Son enfance, son comportement sexuel (puisqu'il s'agit d'un amour), ses réactions dans le cours ordinaire de la vie ? S'il est riche, on le suppose, nous montrer la force ou la faiblesse que représente pour lui sa fortune.

Appelons le personnage Héro.

Héro a terminé ses études. Son père désire le voir prendre sa succession. Il lui a donné une bonne éducation familiale, il l'a initié aux affaires. Le jour de son inscription au Barreau, son père craint de le voir délaisser les affaires pour la politique ou craint de le voir abandonner les traditions familiales ou, etc. Il faut une opposition pour faire ressortir les deux caractères. Ce sera important pour que la mort du père nous touche. Habitudes prises à l'université par Héro. Opposition de sa mère. Elle nous montrera un autre côté de Héro et fera comprendre la grandeur de sa mère, son amour. Celle-ci voudrait qu'il ressemble à son père ; il tient à affirmer sa propre personnalité, etc.

Il rencontre Anny, une chanteuse. S'il est riche, l'opposition de la part d'Anny viendra du fait qu'elle est vertueuse, qu'elle aime un autre homme, qu'elle ne le trouve pas intéressant. Ou du jeune homme ; elle est légère, il veut en faire sa femme, cela ennuie la jeune fille. Il est riche, elle n'a que sa voix, elle a peur de l'avenir. Ou de la famille du jeune homme qui ne veut pas d'une chanteuse, etc., etc.

En un mot, il faut des conflits intérieurs ou venant du dehors. Ceux qui précèdent peuvent être traités par les réactions qu'ils déterminent chez Héro, ou comme événements.

Un roman, c'est un drame, le récit d'une opposition, la solution d'un problème moral, religieux, passionnel, etc. Quel est le drame ? Drame d'un jeune homme qui rencontre une femme qu'il ne peut épouser. Pourquoi ? comment triomphera-t-il ? Quelle importance a cet événement dans l'ensemble de sa vie ? On peut expliquer un amour malheureux par le comportement sexuel ou sentimental, par la famille, la société.

Il faut que le problème ou l'enjeu en vaille la peine. Tout en vaut la peine, mais si un homme peut aimer d'une façon définitive en deux rencontres, il faut revenir en arrière et montrer pourquoi.

II

L'Éternel mari

— *L'Éternel mari* n'est pas un livre isolé de Dostoïevski. Il est de la même veine que le *Souterrain*. Aux dépens de qui Dostoïevski fait-il de l'ironie ? Dans ces deux romans, Dostoïevski n'a pas décrit l'adolescence de ses personnages et ces œuvres ne comportent aucun jeune.

— *Un personnage dont l'adolescence ne nous est pas connue nous sera toujours peu compréhensible. C'est dans son adolescence que le destin de l'homme se décide.*

Malraux

Malraux, romancier de l'action, de l'énergie humaine. Ses héros sont des êtres sans vie personnelle profonde, unifiés qu'ils sont par leur vice, l'héroïsme ou la cause. Ils n'ont plus de personnalité, pas de passé, du moins pour le lecteur, pas d'avenir. Ce sont des hommes qui vivent dans le présent, un présent que grandissent la proximité de la mort, la noblesse de la cause.

Ils sont vus dans l'attente qui précède le don total. On ne les connaît pas. Ce qui compte ce sont le mouvement, les batailles, l'idéologie, les passions... Ce sont des assassins. Le drame de l'homme dans Malraux, c'est de tuer. Il y a, dit un de ses personnages, ceux qui ont tué et les autres. Dans *Crime et Châtiment* aussi l'homme qui a tué est anéanti, mais pour lui, il reste l'espoir de la rédemption. Tous sont impassibles devant la torture des ennemis du parti. Ou du moins, leur conscience, avant d'y être habituée, n'a pas de sursaut.

Le crime

L'intention criminelle, un motif puissant une fois trouvé, les événements s'enchaînent, se précipitent même. Car dans le crime, l'homme n'est pas seul.

Dans *le Père Goriot*, il y avait le désir de Rastignac, son état d'attente. Vautrin le pressent et aussitôt il détermine l'action. Est-ce sa faute si Rastignac se dérobe ? Il fallait un personnage capable du crime.

Le Père Goriot a marié ses deux filles et leur a donné toute sa fortune comme dot. Il vit pauvrement, quêtant l'occasion d'être reçu en secret par elles.

Rastignac le rencontre chez l'une d'elles et devient son ami.

L'une après l'autre les deux filles se trouvent dans des situations où elles ont besoin d'argent et où elles ne peuvent en parler à leur mari. Elles recourent au Père, qui vend ses dernières rentes et son argenterie. Puis écrasé de misère et d'ingratitude, le Père Goriot meurt.

Pour rendre cette histoire dramatique, Balzac la place dans une pension où se trouve la fille naturelle d'un millionnaire. Rastignac pourrait l'épouser et s'il écoutait Vautrin devenir l'unique héritier, car Vautrin ferait tuer en duel par un spadassin le fils unique du richard.

Les Treize

Le meurtre de Maulincourt, l'enlèvement de la duchesse de Langeais, la prise du couvent, le meurtre de la fille aux yeux d'or sont invraisemblables, mais quelles ressources sont déployées au cours de ces pages. Les dialogues du général et de la duchesse, la description de Paris, les personnages (tous sans exception) sont d'un très grand romancier. Seule l'intrigue, toute extérieure et délibérément extraordinaire et à surprise déçoit le lecteur le mieux prévenu. On retrouve là tout Balzac, mais on déplore qu'il nous choque par manque d'esprit critique et de goût. Il suffirait de trouver un motif plus puissant au meurtre de Maulincourt, de rendre moins facile l'enlèvement et le volte-face sentimental de la duchesse et de s'en tenir là. La fille aux yeux d'or, si de Marsay n'était pas décidé à la tuer sans motif, passerait directement.

Suicide Club

Dans les *New Arabian Nights,* Stevenson n'est égal à lui-même que dans quelques chapitres, mais dans l'ensemble parce qu'il tient à se mettre à la portée des enfants et ne réussit pas, lui pourtant qui a réussi ce chef-d'oeuvre, *Treasure Island,* il manque son effet.

Dans *Suicide Club,* le récit est superbe : la rencontre du jeune homme aux tartes et son invitation au Prince Florizel, le dîner fin (Pourquoi le prince ment-il au sujet de sa fortune ?), l'interrogatoire du président du Club, la conversation avec le paralytique, passionné et lâche, qui ne vit que dans l'attente du moment où dans la salle de jeu, le Président distribue les cartes dont la plus haute et la plus basse désignent respectivement le meurtrier et sa victime ; la scène où le paralytique tourne avec effroi la carte qui le désigne, et celle où le prince Florizel lit dans le journal que le malheureux a été victime d'un accident, tout, jusqu'à l'enlèvement du Prince par ses serviteurs au moment où il va tomber sous les coups de l'assassin est un chef-d'œuvre d'atmosphère de vraisemblance dans l'invraisemblable. Les autres chapitres n'ont aucun intérêt. Le miracle d'imagination qui a donné *Suicide Club* ne se répète pas.

Hammett

Dashiell Hammett procède par observation des détails, objectivement, méthodiquement, exhaustivement. Le détective dissimule sous une apparence nonchalante ou plutôt désabusée, une détermination passionnée de trouver la solution de son problème. Il est flegmatique : un policier recherche un criminel. Peu à peu, il se laisse emporter, il devient intéressé.

Red Harvest de Dashiell Hammett, l'auteur de *Maltese Falcon,* inférieur à ce dernier mais bien fait et tenant un peu du roman à la Kafka, en ce sens qu'on a l'impression dans cette ville d'être coupé non seulement du reste des Etats-Unis, mais même du monde réel. Et pourtant les personnages sont profondément humains, mais il y a en eux ce quelque chose de bizarre qui place Hammett à part au milieu des amuseurs. N'était la construction logique et la technique du roman policier, Hammett serait un grand romancier.

A Coffin for Demetrios par Eric Ambler, bon roman en dépit de longueurs qui auraient pu facilement être évitées. Mais la lente découverte de Demetrios est vraiment extraordinaire.

Caldwell

La *Route au tabac,* une œuvre très puissante. Des personnages sans communication ni par le cœur, ni par l'esprit. La vie animale des brutes saisie jusqu'au trognon. Ils vivent et meurent sans se voir, sans se sentir, et au milieu de cela ils parlent de Dieu. Et on sent que c'est grossi à peine.

J'essayais d'imaginer ce qui arriverait quand le père se saisirait du sac de navets. Mais la vérité me renversa. C'est invraisemblable comme seule la vie peut l'être.

Le type

Au théâtre ou à la lecture, on est surpris de la fraîcheur de ces personnages qu'on connaissait abstraitement, qui n'étaient plus que l'équivalent d'un proverbe, d'un lieu commun et qui, tout à coup, s'animent, dont on entend battre le cœur, en un mot qui vivent d'une vie individuelle et qui, s'ils ne cessent de se confondre encore partiellement avec l'image répandue sont surtout bien autre chose. Le type s'est évanoui ; on ne le voit plus.

À vrai dire, certains types, qui n'ont jamais vécu que dans l'imagination populaire forment une catégorie à part. Ils sont des types parce qu'ils répondent aux besoins de la sensibilité ou de l'imagination. Mais surtout, parce qu'ils n'ont pas rencontré le créateur capable de leur donner une vie substantielle et concrète.

Valéry

Pauvreté des thèmes valéryens : narcisse, serpent, femme nue, etc. L'idée en est à peu près absente, la nature aussi. Poésie descriptive, honteuse de l'être, se couvrant d'oripeaux discartés par la philosophie.

Paul Valéry, grand poète mineur et fin causeur, qui professe qu'on sait tout quand on peut tout dire, mettant tout l'art dans la seule expression, a écrit sur le roman des exercices amusants où le manque de profondeur de sa pensée se mesure. La caractéristique de cet auteur c'est l'inhumain et le superficiel.

Valéry met toute son habileté d'artisan à dissimuler l'absence de pensée, de substance. On ferait un gros livre d'exégèse de ses lieux communs qu'il donne comme de profondes découvertes.

Il a été donné en pâture à ceux qui souffraient de ne pas comprendre Rimbaud, Mallarmé, Claudel. Le primaire y a reconnu son néant et s'y est complu. Quelques esprits très fins ont cru y voir ce que leur réflexion y mettait et il a reçu l'hommage de leur talent.

III

On ne lit guère les moralistes dans le peuple et l'homme d'aujourd'hui n'a plus le temps de méditer sur la vie humaine, la morale, la religion, etc. Le catéchisme fournit au chrétien les éléments essentiels de la théologie, de la philosophie et de la morale. À ce leste bagage, dont le poids fond avec les années, il convient d'ajouter l'expérience que, bon gré mal gré, chacun acquiert au contact de ses semblables. Mais cette dernière, faute de réflexion, ne donne tout son suc que dans la vieillesse. D'où vient donc *la philosophie de la vie ou plutôt la conception que l'homme se fait de la vie, de la morale, du monde ? Elle vient presque entièrement de l'expérience des autres.* Cette expérience, les journaux, la radio, le cinéma la dégagent pour lui. Chacune de ces formes n'est indispensable qu'à cause de cela. Elles suppléent à la réflexion ou plutôt elles fournissent à l'intelligence des interprétations toutes faites, des leçons dégagées de la vie ; chacune complétant l'autre, elles donnent sur les grandes questions un ensemble de réponses valables pour l'homme moyen et qui dispense l'individu de rechercher plus loin, d'approfondir.

La plupart des hommes échangent des idées toutes faites et, s'ils diffèrent d'opinion dans les questions de détail, ils se rencontrent dans l'anonymat des pensées d'ordre général. Aussi est-il rare d'entendre l'homme moyen émettre un jugement personnel d'une portée humaine, sur les principes ou même sur l'expérience. Au contraire, l'homme de la campagne qui n'a eu que le catéchisme et son expérience, a souvent l'occasion d'arrêter sa pensée sur ces vérités, il les a essayées à la vie, les médite dans le malheur. Quand il les communique d'une façon parfois maladroite, il exprime un monde personnel, une expérience de la vie et des hommes qui ne doit rien qu'à son intelligence, une conception du monde qui se traduit dans sa conduite et qui pour n'être pas toujours formulée, n'en est pas moins une force dynamique.

Le romancier est le premier de ceux qui usurpent devant le commun le rôle du moraliste. Balzac ne craignait pas en marge de ses romans d'écrire la conception qu'il se faisait de la morale, de la religion ou de la politique. Ces réflexions sont des hors-d'œuvre souvent placés à part et qui entravent rarement la marche du récit. L'auteur exprime une opinion : on se soucie assez peu qu'il se trompe puisque ses idées sont exposées sans détours dans un ensemble cohérent que chacun peut accepter ou refuser.

Dans le roman, la morale, sauf quand l'auteur ouvrant une parenthèse parle en son nom propre, *se présente le plus souvent d'une façon équivoque.* En lisant Hemingway, Montherlant, ou Remarque, il est difficile de départager d'une façon certaine ce qui est expression d'une idée de l'auteur de ce qui est idée du personnage. Si Costals nous donne sa conception de l'amour ou du mariage, l'honnêteté m'interdit de discuter ces idées en les attribuant à Montherlant qui aurait raison de me répondre que Costals est un personnage fictif dont il accepte certes la paternité mais dont les actes et les idées ne relèvent pas de lui. Et c'est vrai. Ainsi dans les Karamazov, Dostoïevski met en scène un athée, un libertin, un enfant, etc. et l'idée ne viendra à personne de conclure que Dostoïevski devait être l'un ou l'autre de ces personnages ou les trois. Ivan professe sur Dieu, Kirilov, sur le suicide des idées qui étaient, nous le savons, le contraire de celles de Dostoïevski sur ces sujets.

Le romancier moderne, conscient de ce rôle de moraliste, tout en décrivant ses personnages de l'extérieur se sent poussé par le désir d'influencer le lecteur à intercaler des idées personnelles ou des jugements qui relèvent de sa philosophie de la vie.

En voici un exemple cueilli au hasard dans *Arc of Triumph* de Remarque (pp. 294-295).

« The man without a stomach was dead. He had moaned for three days and by that time morphine was of little help. Ravic and Veber had known he would die. They could have spared him these last three days. They had not done it because there was a religion that preached love of one's neighbor and prohibited the shortening of his sufferings. And there was a law to back it up ».

Un romantique aurait ici écrit tout un chapitre exalté. Aurait-il été moins objectif que Remarque ? L'auteur parle en son nom ; il nous explique la raison d'agir non pas d'un personnage mais de deux. Sans faire la prélection de ces quelques lignes, on sent que l'auteur porte ici lui-même un jugement et que l'impression qu'il laisse au lecteur est tendancieuse.

Cet exemple est choisi entre mille. Il indique *l'intention du romancier d'envahir le domaine voisin du moraliste, d'agir directement sur l'opinion du lecteur.* Le moraliste est un homme avec qui on discute. On ne discute pas avec le romancier. On ne se défend pas contre lui et c'est ainsi que le roman, la comédie comme le cinéma, qui les prolonge tous les deux, agissent profondément, d'une façon subtile, sur la conception que l'homme se fait de la vie et des valeurs.

Je n'avais pas lu l'article de J.-Donald Adams dans le New York Times du 19 mai 1946 quand j'ai écrit ce qui précède. J'y relève une déclaration de Somerset Maugham à l'appui de mon opinion. Pour Maugham, l'objet du roman, c'est la nature humaine. « Il est regrettable, dit-il, que la connaissance ne puisse être acquise sans peine. Elle ne s'acquiert qu'à force de travail ardu et persévérant. Ce serait merveilleux si nous pouvions avaler la pilule des connaissances profitables dans une cuillerée de confiture. Mais à la vérité, la qualité de la science ainsi apprêtée ne peut être que suspecte. Je suis de l'opinion que la science que le romancier peut donner est tendancieuse, incertaine, et qu'il est préférable d'ignorer une chose que d'en avoir une connaissance déformée. Si les lecteurs désirent se renseigner sur les problèmes angoissants de l'heure, ils feront mieux de lire des ouvrages qui traitent spécifiquement de ces problèmes. »

Le roman est un art et non un exposé de doctrines politiques, sociales ou autres. Le méconnaître, c'est au point de vue du romancier rabaisser son art au rang de la propagande et au point de vue du public, c'est contribuer à répandre des demi-vérités quand ce ne sont pas des erreurs inspirées par la passion ou par les chefs d'un parti.

La littérature engagée est une littérature d'homme d'action fourvoyé dans l'art. C'est assez qu'on reconnaisse au romancier une pénétration plus ou moins grande des mobiles humains. Pourquoi veut-il encore se faire professeur de philosophie, de sciences politiques ou sociales. L'art n'a que faire de ce qui est transitoire. Tout ce dont le romancier peut être sûr, quand il a terminé une œuvre, c'est d'avoir animé des êtres, créé un objet dont la perfection n'a rien à voir avec l'influence qu'il peut exercer par accident sur les événements.

L'œuvre d'art est à l'antipode de la littérature engagée, c'est-à-dire de la propagande, de la thèse, si habilement camouflées soient-elles. Si la littérature engagée devait être prise au sérieux, si les romanciers abandonnaient les grandes traditions, on verrait la décadence de ce genre et bientôt sa mort.

Robert CHARBONNEAU

Connaissance du personnage

CONNAISSANCE DU PERSONNAGE *

Le roman a évolué jusqu'à nos jours sans règles définies. À mesure que les autres genres tendaient par la force d'une nécessité interne vers une plus grande unité formelle, il a continué d'accueillir des éléments étrangers, de se proposer des fins dont presque toutes sont ennemies de l'art. La théologie, la philosophie, les sciences, la politique se disputent ce truchement. D'autre part, beaucoup de romanciers recherchent une influence moralisatrice, idéologique ou autre. Le roman n'est plus alors une œuvre d'art.

À plusieurs reprises, en ces dernières années, des critiques pessimistes ont condamné le genre. On est même allé jusqu'à dire que le roman policier était la forme parfaite du roman. Nous ne pouvons voir dans cette opinion qu'une boutade. La tradition de Stendhal, de Balzac, de Proust, de Mauriac peut et doit aboutir à autre chose qu'aux romans ingénieux de Simenon ou d'Ellery Queen.

Quelles que soient les catégories et les formules, c'est le personnage et, en définitive, l'homme, qui est l'objet du roman. Sans cette condition essentielle, le roman n'est qu'un jeu, un problème de l'ordre des chiffres. Il n'est pas plus une œuvre d'art que le reportage sensationnel sur les menées d'une bande de trafiquants de narcotiques ou que les faits divers des journaux. Le roman tire son intérêt du mystère de l'homme. Dieu nous connaît parfaitement. Mais le mystère de la personne transcende l'intelligence et la portée de l'investigation humaine. La théologie nous enseigne que chaque acte que nous posons se

---

* Robert CHARBONNEAU, *Connaissance du personnage*, chap. Ier. Éditions de l'Arbre, Montréal, 1944, 200p.

répercute dans l'infini, d'une façon inexplicable humainement. Nous ne voyons que l'apparent. Mais parfois, à l'occasion d'un acte entier, par lequel il se dépasse, l'homme révèle un coin de sa physionomie spirituelle. Cette révélation est-elle l'objet du romancier ? Certes, puisque dans le roman, on atteint l'être entier. Si nous ne pouvons connaître que par accident la conscience de l'homme, nous pouvons, à l'aide de ce que l'analyse et l'intuition nous découvrent, créer un être fictif dont l'âme n'ait aucun secret pour le créateur.

Dans le cours ordinaire de la vie, les engagements entiers sont rares. Nous faisons inconsciemment des réserves et si la vie sociale n'est qu'une suite de compromissions, il en est de même dans l'ordre spirituel. Pour le commun des hommes, l'acte se délibère à la superficie de l'être ; il n'est pas de l'être entier ; il est geste peureux, regretté aussitôt que posé, conçu dans le doute et l'hésitation, enveloppé de précautions et abandonné derechef. Le caractère, l'hérédité, les habitudes et les autres composants de nos actes, joints aux gauchissements de la réalisation, rendent difficile d'identifier la vérité de l'homme dans ses actions. Ce geste de mépris qui nous échappe, auquel nous faisons à peine attention, c'est très loin, peut-être, dans notre enfance qu'il faut en rechercher les racines.

Dans la vie de chacun, il y a un acte pour lequel nous sommes faits et sur lequel pivote notre destinée. Un pauvre dit un jour devant un groupe dont j'étais : « Tout homme fait au moins une folie dans sa vie ». Et il raconta la sienne. Il exprimait à sa façon cette vérité qu'il est donné à tout homme de s'engager au moins une fois. C'est par la brèche de cet engagement, parfois de peu de conséquences pratiques, que s'insinue la grâce, que Dieu mesure le degré de chaleur d'un être.

Nos destinées s'entremêlent étroitement. Chaque être, irremplaçable dans son essence, reconnaît qu'il est à la fois unique et commun. Il agit sans cesse sur les autres et défend à tout instant sa personnalité contre les êtres qui lui sont le plus cher. Il éprouve simultanément le besoin intime d'être sincère et de maintenir son unité, et la nécessité sociale de conformer ses exigences à celles des autres humains. Il se sent différent des autres et en même temps semblable à eux. Nos anomalies, pour peu qu'elles nous paraissent toucher à la nature ou découler de celle-ci, nous les dissimulons quand nous ne pouvons en tirer un argument de supériorité. Nous avons alors une vérité pour nous et une vérité pour les autres.

Peu d'hommes sont capables d'un refus total, même les athées, mais certains prennent le contre-pied de la loi naturelle et mettent leur gloire dans le renversement de la loi. Nous sentons obscurément qu'accepter d'être différents, c'est nous anéantir dans la mesure où nous nous écartons de notre Modèle et de notre raison d'être. Celui qui se complaît dans sa différence se perd en elle. Car il en fait sa fin par haine de Dieu et des autres. L'abbé Cénabre, personnage de *l'Imposture,* aime sa différence ; dès cette terre c'est un damné. Tourné vers lui-même il est « lui-même son Dieu et sa fin ». L'homme qui accepte sa différence n'a de cesse qu'il n'ait trouvé autour de lui des êtres à transformer à l'image de son néant et de sa haine. Cette nécessité explique Lucifer et le prosélytisme des athées.

C'est dans son être entier, connu par son engagement, que le romancier doit atteindre l'homme. L'analyse dissèque ; le roman seul permet de saisir la vie et de la suivre sans l'immobiliser. Le mystère de l'être ne peut être saisi que dans son mouvement même, à ces sommets où l'homme s'engage tout entier et où, en donnant sa mesure, il prend conscience de lui-même.

Le romancier doit rendre la vie telle qu'il la conçoit avec fidélité et vérité. Il n'est pas libre de nier le mal en fermant les yeux sous le prétexte de ne pas scandaliser. Il risquerait alors de donner une fausse conception de la vie, et, du point de vue moral, de causer un mal plus grand que celui qu'il redoute. Du point de vue de l'art, il détruit son œuvre en falsifiant la vérité.

C'est le péché qui est à la source du drame humain, tout au moins le péché originel et les traces qu'il a laissées en nous. Si Adam n'avait pas péché et si tous les hommes habitaient le Paradis terrestre, il n'y aurait pas d'art ou tout au moins l'art serait si différent de ce que nous connaissons et de ce que nous pouvons imaginer que nous pouvons dire qu'il n'existerait pas d'art. Au ciel non plus il n'existera pas d'art, puisque l'art est un intermédiaire et que nous contemplerons la Beauté et la Vérité face à face. Un monde romanesque d'où tout péché aurait été évacué, ne serait pas notre monde, ne serait pas l'univers. Il pourrait nous intéresser comme les voyages interplanétaires ou dans l'avenir décrits par H. G. Wells nous intéressent, mais comme ceux-ci, il ne serait ni humain, ni une source de création artistique. C'est la lutte de l'homme contre lui-même, contre son inclination au péché ou les liens et les obstacles qui s'opposent à son bonheur ou à son plaisir, ou sa lutte contre Dieu qui est à la source du drame humain. Là se trouve la matière où puisera le romancier, qu'il soit catholique ou incroyant. Le devoir du romancier envers la vérité, le respect qu'il lui doit comme à Dieu qui est son fondement, ne vient pas de ce qu'il est catholique, mais de ce qu'il réclame le pouvoir de créer des êtres, de leur donner vie. Parce qu'il est catholique, il possède une certitude qui lui interdit de s'arrêter à la surface extérieure des êtres, aux apparences, et lui fait un devoir de pénétrer au delà, dans les arcanes de la conscience où se joue le drame, et de démêler, s'il le peut, par intuition ou par discernement, les mobiles profonds des actes. Ainsi présenté, le roman est vrai et comme tel moral. Il est œuvre d'art. Mauriac, Charles du Bos et d'autres grands écrivains catholiques ont étudié ce problème et ont défendu le romancier contre les critiques faciles de ceux pour qui le roman n'a de but que de moraliser grossièrement. Une telle conception est la mort de l'art. L'art démontre plus subtilement par l'exposition de la vérité. Et il arrache une adhésion bien plus profonde. Mais ce problème doit être résolu pour chaque œuvre.

* * *

L'adolescent qui est, par nature, curieux de soi va d'instinct aux œuvres autobiographiques, aux journaux intimes, aux confessions. Il trouve là l'aliment de ce feu d'analyse qui le dévore. La voie de connaissance qu'il suit est variée. Il procède par comparaison, adaptant à son perfectionnement les solutions personnelles trouvées par les autres.

A mesure que la conscience s'éveille, surgit le désir plus profond de voir des êtres aux prises avec les grands problèmes qui nous accablent. Si le peuple préfère les récits merveilleux, c'est que, dominé par la volonté, il veut éprouver sa force contre des obstacles imaginaires, se confirmer dans son courage.

Le roman moderne est sorti de ce désir de l'homme de se connaître à la fois par l'analyse des sentiments d'autrui, comparés aux siens, et de cet autre besoin de connaître l'être dans ce qu'il a de plus propre, son acte. Il se présente comme la réponse aux interrogations qui surgissent en nous sur l'homme.

L'observation de ceux qui nous entourent nous laissera toujours insatisfaits ; car elle s'arrête en deçà de la conscience. Or rien n'est moins logique que la vie. Le caractère qui, selon les psychologues, s'exprime avec une certaine constance dans la conduite d'un homme nous donne une connaissance abstraite de celui-ci. Nous ne pouvons jamais juger un homme ; nous pouvons juger son acte, mais nous ignorons à peu près toujours les motifs qui l'ont déterminé. D'où la nécessité de créer des êtres vivants, qui soient des hommes que nous puissions connaître dans leur conscience, comme Dieu les connaît.

La désignation de romans psychologiques que l'on donne à certaines œuvres littéraires, où prédomine, bien plus que la psychologie, l'intuition, que nous appellerons animatrice ou créatrice, a voilé aux yeux du grand nombre, l'impulsion donnée à la fiction par un Dostoïevski, un Proust, ou un Frank Kafka. En réalité, il s'agit d'un changement essentiel dans l'ordre de la création littéraire. Certes, personne ne songerait à nier l'apport substantiel de ces écrivains, du moins des deux premiers, à l'art du roman, mais il semble qu'en plaçant leurs œuvres et celles qui sont nées de celles-ci dans une catégorie à côté du roman policier, du roman sentimental, du roman de mœurs, on a empêché de voir que ce classement recouvrait une révolution dans le roman, indépendamment des tendances, des écoles et des théories.

C'est l'objet même du roman et plus encore la position du romancier qui sont changés.

L'invention d'événements, les effets de surprise et les rebondissements dramatiques ont marqué les débuts du roman.

Ils constituent encore aux Etats-Unis, où le roman policier est florissant, le critère du genre. Le personnage n'y est qu'à l'état embryonnaire, mais il y est. Ce qu'il manque de vie à ces fantômes, le public le prête volontiers. Il s'attache à eux, il les aime comme des êtres distincts de l'ouvrage et souvent il ne reporte pas le mérite de leur création à un romancier dont il ignore jusqu'au nom. Ainsi, au Canada, où Séraphin Poudrier est connu dans tous les foyers, Claude-Henri Grignon est presque un inconnu. Il n'est pas d'hommage qui devrait toucher plus profondément un écrivain.

Le lecteur a reconnu dans le héros, si peu individualisé que l'ait conçu son auteur, un être qui plus que les événements, plus que les émotions, l'attire. Il s'attache à l'être même, relié, il est vrai, à des épisodes du roman. On a vu des romanciers, qui, fatigués du jeu, avaient tué leur héros pour s'en délivrer, être rappelés à l'ordre par le public et forcés de lui rendre la vie. Pourtant l'écrivain ne renonçait pas à son métier et son imagination n'eût pas été moins féconde avec un personnage autre que Sherlock Holmes ou Rocambole.

Longtemps, le roman littéraire se distingua à peine du conte, de la nouvelle ou du récit. Les grandes créations étaient reléguées dans les romans populaires. Le romancier se proposait comme le conteur, de divertir le lecteur, de le faire rire, pleurer ou penser, de créer en lui une émotion esthétique par des moyens extérieurs : description de la nature, invention de situations insolites, combinaisons de péripéties extraordinaires. Il n'était pas question de comprendre la complexité de l'homme, encore moins que le héros ait une vie propre.

L'auteur, que son ambition ait été de moraliser ou simplement de divertir, tenait plus à donner à son récit les apparences du vrai, à passer pour le témoin d'un événement extraordinaire qui était sa raison de conter, qu'à créer des personnages.

Balzac et Dostoïevski reviennent en arrière et relient le roman littéraire au mouvement d'invention qui a précédé le roman de création. Dostoïevski aimait les romans feuilletons. Il lut Eugène Sue, Radcliffe, etc. Il se pénétra de leur méthode et découvrit au delà des procédés grossiers le secret de son art.

Balzac, de son côté, fut attiré par les romans d'aventures et il en commit plusieurs avant de trouver sa vocation. Chez tous les deux, au désir de créer se mêlent des ambitions étrangères : philosophiques chez Dostoïevski, politiques chez Balzac. Tous les deux se proposent de peindre la société de leur temps et alourdissent leurs livres de considérations étrangères au roman. Mais si fortes sont leurs créatures qu'elles supportent l'œuvre et que leur visage ne perd rien de sa netteté.

Avec Balzac, change le pôle d'intérêt. Le personnage se dégage des événements dont il n'est plus uniquement le soutien ; il a son individualité propre ; l'imagination n'est plus l'unique ressort de ses actes.

Les événements ne sont plus conçus pour leur effet sur le lecteur, même quand ils sont ordonnés en vue de l'action principale et de son sommet, mais pour permettre le développement d'un caractère. Le personnage subordonne les péripéties ; l'observation ne porte plus seulement sur les reliefs des mœurs ou des paysages, mais elle pénètre l'homme, nous révèle les mobiles de ses actions, sans aucune intention de moraliser ou d'instruire.

La position du romancier n'est plus celle du témoin ou du juge ; elle est celle du créateur, animé de compassion pour ses créatures. Celui-ci agit sur ses créatures à la façon de la grâce, en laissant la liberté la plus entière au sujet.

De nos jours, le roman tend encore à se dégager des éléments qui ralentissent l'action et le détournent de sa fin qui est l'homme.

L'action a cédé le premier plan dans des romans comme *A la recherche du temps perdu, Ulysse,* de James Joyce, *le Nœud de vipères,* etc.

Le roman déborde la littérature, il s'étend de tous les côtés. Un livre comme *The Maltese Falcon,* de Dashiell Hammett, qui contient des personnages authentiques ne trouverait probablement aucune place dans une histoire de la littérature. Le roman vaut par l'ensemble. Il nous apparaît comme certaines fresques, qui sont admirables dans la perspective où l'artiste a choisi de nous les faire voir, mais qui de près ne donnent rien. Cependant, si le mauvais style de certains romans de Balzac ne rebute pas ceux qui demandent au roman une connaissance d'eux-mêmes, il se trouve que les créatures les plus profondes et les plus riches se trouvent dans des romans dont la valeur artistique est égale sinon supérieure à la valeur de création.

Le roman est fondé sur la vérité psychologique des personnages, sur leur vérité ontologique. La vérité de l'être fictif n'est pas empruntée au réel ; c'est une vérité, une authenticité créée, analogue à celle-ci, mais distincte.

Pendant que l'intérêt se déplaçait de l'événement fictif ou réel au personnage, conçu comme ayant une vie individuelle, la position du romancier changeait aussi. De témoin, chargé de nous relater un événement, ou de moralisateur qu'il était, il devient le père de son personnage ; dans la seconde étape, inaugurée par Dostoïevski, il devient, plus encore, son dieu. Mauriac l'a écrit avec beaucoup de justesse, le romancier tend à se substituer à Dieu. Le personnage se transforme, d'individu caractérisé par ses actes et son comportement, en une personne, c'est-à-dire en un être doué d'une volonté libre et d'une conscience.

Sans quitter la scène du vaste monde, le roman étend son domaine, il s'annexe la surnature. Et le lecteur ? Peut-il suivre jusque-là le romancier ? Certes. La créature la plus intuitivement connue, la plus fouillée dans son âme, nous ressemble par l'humanité de ses sentiments, de ses aspirations, de ses pensées ; elle nous émeut de sa vérité et nous éclaire sur la nôtre.

La fin du roman en tant qu'œuvre d'art, c'est de créer des être autonomes dans un monde fictif. En atteignant cette fin, le romancier peint des passions et éclaire le lecteur sur les ressorts cachés et les mobiles humains. Quant à la création de types, elle procède généralement d'une simplification étrangère à l'art. Le type n'existe que pour le critique, car il n'y a d'art et de psychologie que du particulier. Et les personnages qui nous sont donnés comme des types parfaits, en autant qu'ils sont profondément créés, sont de faux types.

Souvent les personnages les plus riches en personnalité n'ont pas et ne peuvent pas avoir de modèle dans la réalité. Tels

Stavroguine, l'abbé Cénabre, le père Grandet, etc. Ce qui précède est vrai à plus forte raison des êtres créés par Kafka. Ce ne sont pas là des exceptions, du moins en ce qui concerne la création. Un personnage de Julien Green diffère d'une création de Stevenson par la densité humaine. La vie, ce qui les tire du néant pour les lancer dans la perfection de l'acte est la même.

Il y a des livres, admirablement écrits, composés avec un soin qui ne laisse rien au hasard, qui nous donnent une représentation exacte de la vie, mais non la vie même. Par contre, certaines œuvres, présentées dans des conditions artistiques défavorables, soit dans une traduction, ou morcelées comme les premières éditions françaises des *Karamazov,* contiennent pourtant un monde qui vit d'une vie éclatante, un monde qui n'a pas pu être emprunté dans ce qu'il a d'essentiel.

Parfois, c'est dans la fantaisie, comme *le Procès* ou *le Château,* de Kafka. La réalité du récit comporte une impossibilité irréductible, mais là encore palpite dans des personnages autonomes, comme arrachée à un monde invisible, cette authenticité des êtres. Si la fantaisie ne supplée pas à la vie, elle n'empêche pas la création de personnages autonomes.

L'art du roman n'est pas réductible au style, ni à l'habileté à peindre des apparences. Valéry disait qu'il ne pourrait écrire un roman parce qu'il lui serait impossible de mettre dans la bouche de ses personnages des phrases comme : « Bonjour monsieur ». Et il est vrai qu'il eût été un médiocre romancier, car il n'a pas su découvrir que derrière ces phrases, ce qui fait le roman, c'est la densité spirituelle ou charnelle des personnages.

André Gide, écrivain admirable dans le récit des choses vues et entendues, notamment dans *Si le grain ne meurt,* n'a jamais réussi à créer des personnages capables d'animer un roman. Et pourtant, il réussit à restituer l'apparence de vie et de vérité dès qu'il s'agit d'événements dont il a été le témoin. Pour pallier à cette faiblesse, Gide a consacré des années à surprendre les procédés de Dostoïevski, de Joseph Conrad et d'autres.

Un peu d'attention suffit pour discerner entre les créateurs et les habiles fabricants. Les personnages des seconds, si attachante que soit l'histoire racontée, ne reflètent que leur auteur quand ils ne sont pas de simples figures abstraites auxquelles arrivent les événements dont la lecture nous enchante. Ces figures, si parfaitement décrites, n'émeuvent en nous aucune correspondance, aucune attente inquiète, aucun intérêt qui aille au delà de la simple curiosité. Et la lecture terminée, nous les tuons infailliblement en nous du même mouvement que nous replaçons le livre sur sa tablette. Ils sont sans mystère.

Qu'est-ce qui fait que certains personnages vivent d'une vie autonome et que d'autres ne sont que des simulacres, des symboles, qui n'ont qu'une vie littéraire, toute extérieure, comme les marionnettes ou les dessins animés qui ne manquent pas d'intérêt, mais qui ne conviennent qu'à la représentation d'êtres réduits à un trait, à une passion, à une qualité ; en un mot, réduits à leur apparence extérieure plus un coefficient moral.

Le roman attirera toujours trop d'écrivains sans prise sur l'être. L'invention des événements, occasion de peindre un milieu, d'exposer des vérités psychologiques, morales ou autres, est secondaire. Les êtres fictifs naissent dans l'imagination avec leur destinée comme les êtres humains et quand il n'en est pas ainsi, ils sont de pâles imitations, ils n'apportent pas la vérité, mais des vérités que beaucoup de lecteurs prendront plaisir à reconnaître, qui leur feront dire : « comme c'est vrai » ou leur arracheront des larmes, mais qui n'apportent rien d'essentiel. Elles ne nous apportent pas ce que chaque créature d'un romancier promet, la vérité individuelle qu'elle incarne, qui est une et dans laquelle nous apercevons, ne fut-ce que dans la lueur d'un instant, un reflet de l'image de Dieu qui nous aide à comprendre notre destinée humaine.

Le romancier doit créer une âme. Il la tire de lui-même. Il la tire de son esprit et elle prend dans son imagination, comme l'enfant au sein de sa mère, les éléments nécessaires à son développement et à sa vie. Ce travail s'accomplit dans le silence et même dans la sécheresse.

C'est de la vie du romancier que vivra le héros. Sa vitalité, sa densité, dépendent de la force vitale et de la profondeur de la vie spirituelle du créateur. Ce n'est pas par la technique qu'on peut créer un personnage ; non qu'elle soit à dédaigner car elle forme l'armature de l'œuvre — et une âme forte s'anémiera ou ne donnera pas sa mesure dans un corps débile.

Un des plus éminents romanciers, préoccupé par l'aspect moral du problème de la création romanesque, François Mauriac, a trouvé la solution de son problème dans le créateur. C'est dans le créateur que le problème entier, technique comme moral, se résout.

Le roman ainsi conçu — et il l'est par les plus grands — ne cherche plus hors de l'homme sa justification. Il ne s'agit plus d'abord de raconter une histoire, de décrire un milieu, d'exposer une conception philosophique ou morale, mais de créer des personnages. La connaissance de l'homme n'est complète en dehors des abstractions de la philosophie et de la théologie que par la création de destinées individuelles, aussi distinctes de l'auteur que des personnes dont il pourrait être tenté de faire le portrait parce qu'elles vivent autour de lui, ou qu'il se propose de peindre un monde.

On peut distinguer dans le roman les apports de trois grandes sources : la technique, la personnalité du romancier, et un élément de mystère que l'on peut appeler le don, le génie, la puissance créatrice.

Cette dernière ne se laisse pas facilement réduire à des éléments connus. Ce que l'on sait, c'est que ceux qui ne possèdent pas ce don ne semblent pas pouvoir l'acquérir, quels que soient leur talent ou leur habileté comme techniciens et quelle que soit la force de leur personnalité.

Ainsi, un Hugo, un Chateaubriand, un Anatole France, un Pierre Louys, un Paul Morand, ou un Gide, ont pu donner le change par l'éclat de leur style ou la facilité de leur imagination ; ils n'ont pas dans toute leur œuvre un personnage qui puisse se comparer au *Bossu* de Paul Féval, à d'Artagnan, qui pourtant sont de bien piètres personnages et indignes du talent de M. Gide ou d'aucun de ceux que j'ai nommés.

Le personnage est indépendant du style de l'auteur comme de sa personnalité quant à son existence ; enfin, il ne s'explique que conditionnellement par la technique.

Quel romancier niera que Georges Duhamel ne possède à la perfection la science de son métier. On peut dire qu'il a multiplié dans son œuvre les procédés habiles. Avec Jules Romains, il a épuisé tous les ressorts de l'action romanesque, et pourtant Duhamel n'a que représenté la vie ; il s'en est tenu aux apparences. Il sent lui-même si bien ce qui fait la faiblesse de son œuvre, sur le plan du roman, qu'il a tenté à plusieurs reprises de se justifier d'avoir copié la vie. Personne n'aurait songé à reprocher à Balzac, à Kafka, ou à Julien Green d'avoir copié leurs modèles dans la vie.

Dans *David Copperfield,* l'art s'appuie sur la sensibilité et la disproportion des personnages à la réalité : c'est un procédé de composition. Les événements sont imaginés par l'auteur après coup. Si nous ne le sentons pas à la lecture, le volume refermé, nous nous rendons compte que Dickens a promené son personnage dans divers milieux mais qu'il aurait pu tout aussi bien, sans le changer, rendre son existence différente. Il n'en va pas de même pour le héros des *Illusions perdues.* Rien n'est fortuit dans sa vie. Son caractère le prédestinait à tout ce qui lui arrive. Les événements sont à la mesure de la destinée qu'il portait en lui. Ils se plaisent à lui présenter des occasions d'arriver à sa fin. Toute l'œuvre s'en ressent.

Le livre de Dickens est rempli de vérités humaines. Il nous émeut, il nous charme, mais son personnage ne nous livre pas la vérité humaine irremplaçable de son être, sa vérité propre. Nous pleurons, souffrons, rions avec lui, mais il ne nous est pas connu dans son âme comme Lucien de Rubempré, Raskolnikov ou Stavroguine. Il faut chercher en dehors du talent ou du génie de l'auteur, en dehors des procédés, le secret de la densité humaine de ses créatures.

Il y a eu une progression constante dans les arts littéraires et cette progression est d'ordre technique, mais dans l'ordre mystérieux de la création des personnages, il n'en va pas de même.

La technique joue dans l'élaboration du roman un rôle quantitativement plus important que l'idée créatrice. Elle n'enrichit pas seulement l'œuvre, elle modifie substantiellement la personne. Elle n'est pas seulement le moyen d'expression de la personnalité, elle est sa réalisation même. Sans la technique, point d'œuvre d'art. Sans la technique, le don de création peut demeurer stagnant ou se manifester dans la vie de l'homme qui le possède sous toutes les formes et dans tous les états où la perception du réel est remplacée par l'imagination. Certains êtres vivent dans un monde à eux où ils n'ont pas le pouvoir de faire entrer ceux qui les entourent. L'idée créatrice elle-même dépend de la technique. De même qu'on ne peut avoir de pensée ou d'image sans les mots et qu'à la richesse de la langue correspond un enrichissement non seulement quantitatif mais aussi qualitatif de la pensée, de même technique et puissance créatrice sont intimement mêlées dans le résultat.

Il n'y a pas en réalité une idée créatrice qui trouve son véhicule dans une technique, mais l'idée est inséparable de sa forme.

C'est sous l'aspect technique, entendu au sens large, que la création se présente au romancier. De même que la maîtrise des facultés est la maîtrise d'une méthode, la création n'est possible que quand il existe dans l'esprit une habitude de développement et de synthèse. L'artiste commence par ordonner les matériaux, saisis par l'intuition dans leurs affinités et auxquels viennent se greffer les souvenirs, les atmosphères, les observations.

Ce n'est pas par hasard que les chefs-d'œuvre se situent à l'aboutissement d'un développement complet de la technique.

François Mauriac, qui est indubitablement un grand romancier, mais qui dans ses ouvrages d'idée se montre plus moraliste que philosophe, a vidé de sens le mot création.

Parlant de ces « créatures nouvelles (qui) naissent d'une union mystérieuse entre l'artiste et le réel », il écrit dans le Romancier et ses personnages : « Ces héros et ces héroïnes que le véritable romancier met au monde et qu'il n'a pas copiés d'après des modèles rencontrés dans la vie, sont des êtres que leur inventeur pourrait se flatter d'avoir tirés tout entiers du néant par sa puissance créatrice, s'il n'y avait tout de même autour de lui... des personnes qui croient se reconnaître dans ces êtres que le romancier se flattait d'avoir créés de toutes pièces. »

Puis : « Nos prétendues créatures sont formées d'éléments pris au réel : nous combinons avec plus ou moins d'adresse ce que nous fournissent l'observation des autres hommes et la connaissance que nous avons de nous-mêmes. » (p. 95-96).

Fasciné par les répercussions morales de son œuvre, M. Mauriac déplace le problème. Quand nous parlons de création dans l'ordre humain il ne saurait s'agir d'un acte identique à celui par lequel Dieu a tiré toutes choses du néant. Ce n'est donc que par analogie que l'homme peut créer ; mais dans son ordre, la création humaine est une création complète. Elle porte non sur la matière mais sur la forme. On peut comparer la création du romancier à la création de l'homme. La Genèse ne nous dit-elle pas que Dieu tira le corps de l'homme du limon de la terre et lui insuffla une âme immortelle. Le limon de la terre pour le romancier ce sont ces images, ces souvenirs, cette expérience empruntés à la vie des autres ou à son passé, auquel par un acte mystérieux il donne une âme.

Quand Mauriac écrit que nos personnages ne sont pas « soutenus par leur propre vie », il confond les ordres. Il se répond d'ailleurs en disant que quelques-uns où « la part du mystère, de l'incertain, du possible est plus grande » vivent plus que d'autres.

« Plus nos personnages vivent et moins ils nous sont soumis », dit-il encore. Qu'est-ce qui fait que quelques-uns vivent plus que d'autres ? Et s'ils nous sont moins soumis, n'est-ce pas qu'ils ont une vie propre ?

C'est aux philosophes et en particulier à monsieur Jacques Maritain qui a porté dans ce domaine de la création les lumières d'une intelligence extraordinaire et une habitude des choses spirituelles inconnue avant lui, qu'il faut demander une idée satisfaisante de la création.

« *Là-dessus*, écrit-il, *la théologie thomiste considère l'idée de l'artiste dans sa nature propre et en approfondit la notion. Idée fictive ou opérative, objet spirituel et immanent né dans l'esprit, et nourri de lui, vivant de sa vie, et qui est la matrice immatérielle selon laquelle l'œuvre est produite dans l'être, cette idée est formatrice des choses et non formée par elles. Loin d'être mesurée par elles comme le concept spéculatif, elle est d'autant plus indépendante des choses qu'elle réalise mieux sa propre essence ; les assujettissant à son imprégnation créatrice, elle les tient tellement sous sa dépendance qu'à donner, avec un Jean de Saint-Thomas, au mot idée toute sa force, il faut dire que l'on n'a vraiment l'idée d'une chose que lorsqu'on est capable de la faire. Elle ne rend pas l'esprit conforme au réel, elle rend le réel conforme à l'esprit ; car il y a toujours ressemblance, mais cette fois d'un peu de matière à l'abîme de l'invisible engendrant. Chez nous l'idée créatrice n'est pas une pure forme intellectuelle, parce que nous sommes au plus bas degré parmi les esprits ; au contraire, opérant par des organes sensibles et pataugeant dans la matière, le germe spirituel qui féconde notre art n'est pour nous qu'un rien divin à peine entrevu, obscur à nos propres yeux, soulevant et irradiant la pâte du sens et des spontanéités élémentaires. Et surtout cette indépendance à l'égard des choses, essentielle à l'art comme tel et à l'idée opérative, est contrariée chez nous par notre condition d'esprits créés dans un corps, placés dans le monde une fois les choses faites, et obligés de puiser d'abord en elles les formes dont ils se servent : en Dieu seul elle apparaît parfaitement, qui voit dans ses Idées toutes les manières dont son essence peut être manifestée, et qui produit les créatures sur leur modèle, mettant ainsi par toute l'étendue de ce qui est fait le sceau de sa ressemblance, ne détachant les choses de la vie qu'elles avaient en lui, et où elles étaient lui-même, que pour retrouver en elles un vestige de lui. Ici seulement, dans les sommets de la Divinité, l'idée comme forme artisane obtient l'entière plénitude requise de soi par sa notion. »*

La faculté du créateur, c'est l'intuition, non l'analyse comme on l'a cru. Celle-ci ne vient qu'après, elle est là comme une échelle mise à la disposition du lecteur pour lui permettre d'accéder à la vérité saisie sans cet intermédiaire.

Connaissance et création ne se confondent pas et c'est la connaissance qui découle de la création ; non celle-ci de celle-là. Le personnage participe à la vie et à l'âme du romancier où il reçoit son unité. On ne crée pas à partir du réel ; on crée avec le réel qu'on a sublimé, transposé, incorporé à sa personnalité, dont on nourrit l'être de création.

Il n'existe pas de biographie romancée qui fasse naître l'illusion de la vie au point où celle-ci palpite dans le roman. Et pourtant, ici, nous obtenons facilement la crédibilité. Les événements ne sont pas imaginaires, les atmosphères peuvent être reconstituées scientifiquement. Mais la biographie romancée trahit les deux genres qu'elle prétend mêler. Elle infirme la vérité historique par ce que l'imagination y ajoute ou y retouche et, sauf exceptions, elle ne crée pas.

Les chroniques qui reconstituent parfois les gestes, les atmosphères, les circonstances avec des détails minutieusement notés et ordonnés ne constituent pas des romans.

La vie est ailleurs. Et on peut dire de la création du romancier qu'elle commence par l'intérieur.

L'homme dont on connaît la vie, qu'on a observé dans le danger, dans la maladie, dans sa vie sentimentale, dont l'hérédité n'a pas pour nous de secret, est rarement un personnage de roman. Car, le disséquant ainsi, il a fini par perdre son âme. Ce qui importe, ce n'est pas de pouvoir démontrer le mécanisme humain et de le remettre en marche, mais de laisser un être se développer, se découvrir et agir par lui-même. Et d'apprendre son acte en le lui voyant poser.

Plus la personnalité du romancier est riche et plus les images vivantes sorties de lui sont denses, distinctes et généreuses. Cette vie ne se crée pas à partir de l'observation, elle peut être enrichie par celle-ci. Le mécanisme extérieur du personnage, comme le corps humain, auquel correspond une âme qu'à l'instar de la nôtre il faut sauver, est extrêmement compliqué. Comme l'âme humaine ne saurait informer le corps d'une bête, l'âme de l'être d'imagination ne saurait s'accommoder d'une forme imparfaite. Ainsi voyons-nous les grands créateurs se présenter comme de grands artistes.

Certaines créatures des romans vivent sous nos yeux plus intensément que les hommes. Leur âme ressemble à ce point, sur le plan artistique, à l'âme humaine qu'ils agissent sur nous à la façon des vivants. Et dans l'enchevêtrement des destinées, dont parle Mauriac, doivent entrer certains de ces êtres.

En lisant Dostoïevski ou Bernanos, on a l'impression d'un risque. On se sent forcé de réagir contre ce qu'on apprend sur soi pour préserver l'unité de sa personnalité. Le créateur, par créatures interposées, va plus loin en nous que nous-mêmes. L'enjeu, à n'en pas douter, c'est notre âme.

Il semble qu'on ne puisse demander au romancier de faire un partage impossible entre les êtres qu'il croit avoir créés et ceux qui le sont réellement. Car il ne peut avoir clairement conscience de l'opération créatrice. Et souvent d'ailleurs, il sera plus attaché à des créatures empruntées à la vie qu'à celles qui vivent vraiment d'une vie propre.

La création s'élabore au plus profond de nous-mêmes et la raison n'y a jamais de part, mais l'intelligence seule. Celle-ci n'a pour guide ni règle fixe, ni méthode précise. Elle dépend d'un pouvoir mystérieux que quelques-uns des plus grands écrivains, comme Gide, n'ont pu découvrir en eux-mêmes, peut-être parce qu'ils la cherchaient avec leur raison. Claudel a admirablement illustré cette opération dans la parabole *d'Animus et d'Anima*.

On trouve dans le *Journal* de Julien Green une scène atroce. On y voit l'auteur de *Numquid et tu* essayant d'arracher à un romancier authentique son secret et ne trouvant pour réponse qu'un silence écrasant. Gide ne se trompait pas quand il demandait à Dostoïevski ou à Julien Green le secret du roman. Mais ce secret s'est avéré incommunicable.

Dans l'œuvre d'art, l'intelligence se saisit de la beauté avec une force voyante qui ne lui laisse aucun doute, sans qu'elle puisse par des arguments de raison motiver sa joie. C'est pourquoi la vraie critique, quand elle dépasse la technique, risque toujours de paraître subjective.

La critique est presque toujours analytique et moralisatrice. Elle s'attache à l'idéologie, aux qualités de style, à la logique de la construction plutôt qu'à cet être presque insaisissable par les moyens qu'elle choisit : le personnage.

Nous connaissons l'homme. Analogiquement nous pouvons connaître à partir de lui la vérité des personnages quel que soit le monde particulier dans lequel l'auteur les a placés.

Ce qui différencie les personnages, c'est le plus ou moins d'autonomie dont ils jouissent, leur densité, leur vérité.

Entre deux personnages de Bernanos ou de Dostoïevski le potentiel humain est si grand qu'il se produit presque toujours une violente décharge électrique. Dans l'éclair qui jaillit du rapprochement de ces deux pôles, tour à tour actifs et passifs, s'éclaire une part du mystère de l'homme. Il est dans la destinée de Cénabre de rencontrer le Pauvre et Chantal comme pour Stavroguine, de trouver sur son chemin Piotr Stepanovitch, Maria, etc. Par contre, dans le roman d'aventure, où les personnages sont sommaires, réduits à un ou deux traits, nous n'apprenons rien sur le personnage et faute de densité rien ne sort des rencontres les plus extraordinaires ; elles ne sont qu'un prétexte à l'action.

On pourrait dire qu'il existe quatre sortes de personnages ; les premiers sont des acteurs, ils portent un rôle. On peut classer dans cette catégorie les personnages des romans d'aventure. Les seconds incarnent l'auteur ; ils ont la logique des êtres humains, la conscience, la vérité, mais non l'autonomie. Les troisièmes ont ces qualités et l'autonomie mais ils vivent en surface ; leurs problèmes sont d'ordre moral : c'est la chair, le remords. Cette catégorie comprend presque tous les personnages modernes, dont les exigences sont essentielles, mais maintenues par leur auteur sur un plan moral.

Dans Dostoïevski c'est quand le mystère est connu le plus profondément qu'il paraît le plus opaque. Chez Mauriac, le mystère vient de ce qui n'est pas dit ; chez Dostoïevski de ce qui est dit. Ce qui est intéressant chez Thérèse Desqueyroux, c'est qu'on ignore ce qu'elle fera. Stavroguine, Rasknonikov, Cénabre ou l'abbé Donissan ont fait tout ce qu'ils pouvaient faire et c'est là que le mystère commence.

Ils sont tellement au-dessus de la psychologie ordinaire que leur autonomie seule nous est garante de leur vérité. La connaissance des âmes peut être plus grande chez un curé d'Ars mais elle n'est pas source de création. Elle est de l'ordre de la contemplation. Le mystère n'est pas de l'aventure ou de la destinée, mais du personnage, du mystère essentiel de la personne. Enfin il y a des personnages dont la destinée est spirituelle : comme ceux de Dostoïevski et de Bernanos.

Robert CHARBONNEAU

OUVRAGES CITÉS

BAILLARGEON, Pierre. *Commerce*. Éditions Variétés, Montréal, 1947.
— *La Neige et le Feu*. Éditions Variétés, Montréal, 1948.
— *Les Médisances de Claude Perrin*. L. Parizeau, Montréal, 1945.

BERNARD, Harry, *Dolorès*, Lévesque, Montréal, 1932.
— *Juana, mon aimée*. Lévesque, Montréal, 1931; Granger, Montréal, 1946.
— *La Ferme des pins*. L'Action canadienne-française, Montréal, 1930.
— *La Maison vide*. Bibliothèque de l'Action française, Montréal, 1925.
— *Les Jours sont longs*. Le Cercle du Livre de France, Montréal, 1951.

CHARBONNEAU, Robert. *Connaissance du personnage*. Essais parus dans
    la Relève et *la Nouvelle Relève* de 1934 à 1944 et publiés par les
    Éditions de l'Arbre, Montréal, 1944.
— « Aspects du roman », *la Nouvelle Relève*, mars 1946, vol. IV, no 9;
    mai 1946, vol. V, no 1; juin 1946, vol. V, no 2.
— *Ils posséderont la terre*. Collection Le Serpent d'airain, 2, Éditions de
    l'Arbre, Montréal [1941].

DESMARCHAIS, Rex. *La Chesnaie*. Éditions de l'Arbre, Montréal, 1942.
— *Le Feu intérieur*. Lévesque, Montréal, 1933.
— *L'Initiatrice*. Lévesque, Montréal, 1932.

DESROSIERS, Léo-Paul. *L'Ampoule d'or*. Gallimard, Paris, 1951.
— *Les Engagés du grand portage*. Gallimard, Paris, 1938.
— *Les Opiniâtres*. Éditions du Devoir, Montréal, 1941.
— *Nord-Sud*. Éditions du Devoir, Montréal, 1931.
— *Sources*. Éditions du Devoir, Montréal, 1942.

ÉLIE, Robert. *La Fin des songes*. Beauchemin, Montréal, 1950.

GIROUX, André. *Au delà des visages*. Éditions Variétés, Montréal, 1948 ; et dans la collection Bibliothèque canadienne-française, Fides. Montréal, 1970.

GUÈVREMONT, Germaine. *En pleine terre*. Paysana, Montréal, 1942.
— *Le Survenant*. Beauchemin, Montréal, 1945.
— *Marie-Didace*. Beauchemin, Montréal, 1947.

HERTEL, François. *Anatole Laplante, curieux homme*. Éditions de l'Arbre Montréal, 1944.
— *Journal d'Anatole Laplante*. Brousseau, Montréal, 1947.
— *Le Beau Risque*. L'Action canadienne-française, Montréal, 1939.
— *Mondes chimériques*. Valiquette, Montréal, 1940.
— *Six Femmes, un homme*. Éditions de l'Ermite, Paris, 1949.

LANGEVIN, André. *Évadé de la nuit*. Le Cercle du Livre de France, Montréal, 1951 et 1966.

LEMELIN, Roger. *Au pied de la pente douce*. Éditions de l'Arbre, Montréal, 1944.
— *Pierre le Magnifique*. Institut littéraire de Québec, Québec, 1952.
— *Les Plouffe*. Bélisle, Québec, 1948,

LOCKQUELL, Clément. *Les Élus que vous êtes*. Éditions Variétés, Montréal, 1950.

PANNETON, Louis-Philippe (Ringuet). *Fausse Monnaie*. Éditions Variétés, Montréal, 1947.
— *Trente Arpents*, Flammarion, Paris, 1938.
— *Le Poids du jour*, Éditions Variétés, Montréal, 1949.

RICHARD, Jean-Jules. *Neuf Jours de haine*. Éditions de l'Arbre, Montréal, 1948.

ROQUEBRUNE, Robert DE. *D'un océan à l'autre*. Éditions du Monde nouveau, Paris, 1924.
— *Les Dames Le Marchand*. Le Monde moderne, Paris, 1927.
— *Les Habits rouges*. Éditions du Monde nouveau, Paris, 1923.

ROY, Gabrielle. *Bonheur d'occasion*. Éditions Pascal, Montréal, 1945.
— *La Petite Poule d'eau*. Beauchemin, Montréal, 1950.

THÉRIAULT, Yves. *Contes pour un homme seul*. Éditions de l'Arbre, Montréal, 1944.
— *La Fille laide*. Beauchemin, Montréal, 1950.
— *Le Dompteur d'ours*. Le Cercle du Livre de France, Montréal, 1951.
— *Les Vendeurs du temple*. Institut littéraire de Québec, Québec, 1951.

SAVARD, Félix-Antoine. *La Minuit*, Fides, Montréal, 1948.
— *Menaud, maître-draveur*. Éditions Garneau, Québec, 1937.

VIAU, Roger, *Au milieu, la montagne*. Beauchemin, Montréal, 1951.

TABLE DES MATIÈRES

*Achevé d'imprimer
le 15 août 1972
aux ateliers de
l'Imprimerie Gagné Ltée
St-Justin, Cté Maskinongé, Qué.*